KB100388

간
밤
의
꿈
이
야
기

간밤의 꿈 이야기

안주영

기린과숲

프롤로그

언제부터였을까. 매일 밤 꿈을 꾸기 시작했다. 어떤 날은 꿈이 너무 생생해 제자리에 앉아 한참 정신을 차려야 할 정도였다. 하지만 나는 이부자리를 정리하면서 꿈도 함께 털어버렸다. 유독 강렬하거나 기억에 오래 남았던 꿈도 대화 소재로 잠깐 등장했다가 이내 공중으로 흩어져버렸다. 대학생 때 시 창작을 하면서 몇 가지 꿈속 장면이 떠오르기도 했지만, 결국 시는 다른 소재로 완성되었다. 그때까지만 해도 꿈은 현실에서 직접 느낄 수 있는 감각과 재미와 새로움을 대신하지 못했다. 바깥세상과 사람들에게 관심이 많았던 나는 매일 밤 꿈이 남긴 메시지를 가볍게 흘려보내며 살았다.

그런데 언제부터였을까. 여지없이 매일 밤 나를 찾아온 꿈이 떨어지지도 흩어지지도 사라지지도 않은 채 자꾸 현실의 나를 두드리기 시작했다. 아마 그날 이후부터였을 것이다. 가장 자신

있었던 건강이 와르르 무너져내린 날. 연이어 코로나19 팬데믹이 닥치면서 이유 모를 불안과 통증이 무섭게 내 몸 전체로 번져나갔다. 자연스레 바깥세상과 사람들에 대한 관심과 열정은 사그라들었고, 내 몸 하나 돌보기에도 벅찬 날들이 지속되었다.

나의 하루는 점점 단조로워졌다. 창틈으로 따스한 햇볕이 들어오거나 구름 한 점 없이 하늘이 맑은 날에는 어떻게든 몸을 일으켜 바깥으로 나가고 싶은 마음이 요동쳤다. 어렵사리 몸을 움직여 집 앞에 나가 주변 풍경을 둘러보고 심호흡을 해봐도 마음은 쉽게 편안해지지 않았다. 분명 두 발로 디디고 있는 이 땅에 대한 현실 감각이 자꾸 무뎌져만 갔다. 더욱 둔탁하고 흐릿해진 머리와 마음을 겨우 이끌고 집 안으로 들어온 그날 밤, 꿈은 더 생생하고 역동적이고 환상적인 장면들을 선보였다. 아마 그날이 처음이었을 것이다. 꿈속을 활보하는 나의 오감이 현실에서보다 더욱 활짝 열렸던 것은.

그럼에도 여전히 대부분 꿈은 과장과 왜곡과 비약으로 뒤틀려 있었다. 전혀 예측할 수 없고 일정치도 않은 장면을 마구잡이로 내보이는 꿈은 나에게 어떤 의미일까. 연결고리 없이 조각난 여러 개의 꿈속 장면을 하나씩 맞춰보고 꿰다 보니 조금씩 보이기 시작했다. 과거의 내가 진짜 하고 싶었던 말이나 행동, 그 순간 마음에만 담아두었던 진심, 현재의 내가 진정으로 바라는 것이나 미처 깨닫지 못하고 놓친 것, 어떤 확신도 들지 않는 미래에 대한 불안과 그럼에도 놓칠 수 없는 희망까지. 이런 이유로 나는 일기 대신 꿈 기록을 선택했다.

꿈 기록을 해나가면서 구로사와 아키라 감독의 영화 〈꿈〉이 자주 생각났다. 그때마다 이런 상상을 해보았다. 인상적인 꿈 몇 개를 골라 영상으로 제작해 조촐하게나마 상영회를 연다면 어떨까. 상영이 끝난 후 그곳에 모인 사람들과 이런저런 대화를 나누다가 그들의 잊지 못할 꿈 이야기도 전해 듣는다면 어떨까. 가볍게 흘려들을 이야기가 아닌, 어찌 보면 각자의 마음속 깊숙한 곳에 담아두었던 신비하고도 비밀스러운 이야기에 모두가 진지하게 귀를 기울일 것이다. 그런 시간이야말로 꿈같은 시간이 아닐까 생각했다.

꿈같은 시간이 오기 전, 소중한 제안이 먼저 현실의 나를 일으켰다. 매일 밤, 구석지고 음습한 방 귀퉁이에서 내밀하게 자라난 꿈의 앙상한 가지들에 따스한 관심과 응원을 보내준 기린과숲 출판사에 감사드린다. 이제야 푸른 잎사귀와 작은 꽃송이 몇 개를 단 기분이다. 나름 모양새는 갖추었지만 아직도 앙상하고 볼품없을까봐 걱정도 된다. 많은 사람의 눈에 금방 띄는 키 크고 곧은 나무는 아니지만, 화려한 색과 향기를 자랑하는 풍성한 꽃송이도 아니지만 분명한 점은 내가 살아온 시간, 살아갈 시간 사이로 뿌리가 촘촘히 박혀 있다는 사실이다.

건강이 무너지기 이전에 느꼈던 삶의 감각을 잊지 않기 위해,

그때의 감각을 언젠가는 되찾기 위해 나는 오늘도 꿈을 꿀 것이고 기록을 멈추지 않을 것이다. 이제는 독자 여러분의 인상적인 꿈 이야기가 궁금해진다.

차례

4부 까마득하게 먼 저 어딘가

1부

회상

　엄마는 돼지우리처럼 냄새나고 좁은 방에 갇혀 있었다. 방이
아니라 흡사 재래식 화장실 같았다. 엄마는 구석에 쪼그려 앉아
동그랗게 부푼 배를 가만히 쓰다듬었다. 방 앞으로는 강이 흐르고
있었다.

　몇몇 젊은이들이 한 손에 병맥주를 들고 강바람을 즐기고 있었다.
데이트하는 연인도 보였다. 나는 음료수와 나초를 사서 엄마에게
건넸다.

　"엄마, 나 임신했을 때는 먹을 게 없어서 생쌀을 씹어 먹었다며.
그런 거 말고 이제는 이런 것도 잡숴봐요."

　엄마는 얇은 입술을 꾹 다문 채 묵묵부답이었고, 얼굴은 조금씩
어두워졌다. 그런 엄마를 등지고 강을 향했을 때 강이 엄마의
자궁처럼 동그랗게 나를 감쌌다. 그 안에서 나는 모처럼 평안함을
느꼈다.

잠시 후 저 멀리서 탯줄을 달고 떠내려오는 갓난아기가 보였다. 그 아기는 나 같기도 했고 내 동생 같기도 했고 미처 태어나지 못한 내 형제 같기도 했다.

나는 얼른 그 아기를 건져 올려 품에 안았다. 그러고는 다시 눈을 감았다.

새벽에서 아침으로 넘어가는 시간. 아빠는 냉장고 문을 열고 날달걀 하나를 꺼낸다. 톡톡. 쇠젓가락 끝으로 달걀을 두드리는 소리가 들린다. 나는 무거운 눈꺼풀을 들어 올린다.

"아빠, 엄마가 꾸셨다는 제 태몽이 뭔지 아세요? 엄마가 산더미같이 많은 달걀을 아주 조심스럽게 하나씩 쌓아 올리셨대요. 그 깨지기 쉬운 걸 하나하나 다 쌓아 올리셨다고요. 엄마 몰래 그 산더미 같은 달걀 중 몇 개만 냉장고에 넣어둘게요. 꼭 하루에 하나씩만 드셔야 해요. 꼭 하나씩만요."

톡톡. 다시 달걀을 두드리는 소리가 들린다. 그 소리는 딸들의 방문을 조심스레 두드리던 아빠의 노크 같다. 그렇게 무언가가 두드렸고 무언가가 열리고 있다.

아빠의 걸쭉한 기침 소리는 줄어들었고, 엄마는 곤히 자면서 계속 달걀을 조심스럽게 쌓아 올린다. 내가 매일 몇 개씩 가져다가 냉장고에 넣어두는지도 모르고.

이 동네는 어떤 곳일까. 초등학생인 나는 동생의 손을 잡고 새로 이사 온 동네를 구경하러 나섰다. 미로처럼 구불구불 이어진 좁은 골목길에서는 살금살금 걸어도 여기저기서 큰 개들이 컹컹 짖어댔다. 그 소리에 놀라 후다닥 달리다가 한 개와 눈이 마주쳤다. 그 흰색 개는 높은 담벼락에서 온화한 눈빛으로 우리를 가만히 내려다보고 있었다.

골목길을 빠져나오자 큰길 양쪽으로 여러 가게와 노점상이 보였다. 한 옷가게 앞에는 저렴하게 파는 옷들이 쭉 걸려 있었다. 옷들 사이로 빈 옷걸이가 하나씩 튀어나와 있었다. 그 옷걸이들은 가까이 다가가거나 만지면 바로 찌를 것처럼 보였다.

우리 맞은편에서 한 아저씨가 걸어왔다. 우리와의 거리가 점점 가까워지자 아저씨는 바지 주머니에 넣고 있던 손을 꺼냈다. 그 커다란 손은 우리의 몸 어딘가를 움켜쥐고 절대 놓지 않을 것처럼 보였다. 나는 동생의 작은 손을 더욱 꽉 잡았다.

　그때 우리 양옆으로 그넷줄이 내려왔다. 차갑고 뾰족한 쇠줄이 아닌, 도톰하게 잘 꼬아진 밧줄이었다. 그 줄은 엄마와 아빠의 기다란 팔처럼 보였다. 동생과 나는 그네에 나란히 앉았다. 그러자 그네는 천천히 위로 올라가기 시작했다. 동생이 환호성을 질렀다.

　가로수 꼭대기 정도까지 올라갔을까. 온 동네가 환하게 다 보였다. 골목길이 어떻게 구불구불 이어져 있는지, 어느 집 마당에 큰 개가 있는지 한눈에 다 보였다. 옷가게 옆에는 어떤 가게들이 있는지, 어떤 사람들이 오가는지도.

　동생과 나는 해가 말랑말랑해지고 바람이 선선해질 때까지 그네에 앉아서 동네를 구경했다.

집 앞에 당당하게 뿌리 내린 은행나무에 은행이 열렸다. 아빠는 사다리도 없이 날렵하게 나무를 탄다. 아빠보다 키가 한참이나 작은 어린 나와 동생은 고개를 한껏 뒤로 젖히고 나무에 오르는 아빠를 바라본다.

눈부시게 노란 은행잎 사이로 아빠의 신발 밑창만 가까스로 보일 무렵, 동네 친구들이 하나둘 나무 아래로 모인다. 갑자기 은행나무가 온몸을 부르르 떨더니 은행잎과 은행이 우수수 떨어진다. 나와 동생, 그리고 친구들은 동시에 '우와아' 하고 탄성을 지른다. 한 친구는 고약한 은행 냄새에 인상을 찌푸리며 코를 쥔다. 나는 동생과 함께 쪼그리고 앉아 엄마가 맛있게 구워줄 은행을 고른다.

나와 동생은 아직 키가 작고 어린데, 아빠는 어느새 머리가 하얗게 세서 계속 누워만 있다. 우리 가족과 친척, 그리고 아빠의 지인들은

모두 아빠를 내려다본다. 아빠가 눈을 뜨지 않자 엄마가 아빠를
흔든다. 엄마, 아빠가 함께 찍었던 사진 여러 장이 떨어진다. 고모가
아빠를 흔든다. 아빠의 한쪽 귀가 떨어진다. 먼저 세상을 떠난 아빠
의 친구가 아빠를 흔든다. 아빠의 입술 사이에서 새어 나온 막걸리가
뚝뚝 떨어진다.

　　나와 동생은 양쪽에 서서 아빠를 흔든다. 아빠의 흰 머리카락
사이에서 은행이 우수수 떨어진다. 나는 쪼그리고 앉아 바닥에
떨어진 은행을 주워 모은다.

"엄마, 엄마. 개미들이 자꾸 내 입안으로 들어와요."

"네가 어렸을 때 개미를 잡아서 계속 빈 병에다 넣었잖니. 집을 잃은 개미들이 네 입안을 선택한 거란다."

나는 치과 진료대에 눕는다. 조명이 켜지더니 눈앞으로 쑥 내려온다. 동그란 조명은 빈 병 바닥으로 바뀌고, 병 안에서 이리저리 헤매는 개미들이 보인다. 그 수는 점점 늘어난다. 나는 눈을 질끈 감고 입을 크게 벌린다. 입가에 붙어 있던 개미 몇 마리가 바닥으로 떨어진다.

치과 의사는 내 이를 하나하나 두드려보더니 혀를 입안 가운데로 고정시킨다. 그러고는 고운 흙을 조금씩 내 입안으로 쏟아붓는다. 내 입안은 금세 흙으로 가득 찬다. 동그란 조명이 꺼지고, 치과 의사의 목소리가 들린다.

"10분만 이대로 대기하세요. 입안으로 절대 손을 넣으시면 안
됩니다."

　잠시 후 치과 의사는 동그란 손거울을 들고 돌아온다. 나는 거울을
통해 내 입안을 살펴본다. 단단해진 흙 안으로 개미굴이 나 있다.
아까보다 더 많은 개미가 자유롭게 내 입 주변을 드나든다. 나는
고개를 끄덕이고 자리에서 일어선다.

별장아파트

"언니, 별장아파트에 언니 친구가 살아?"

"응, 요즘 친해진 친구가 살아. 나랑 키도 비슷하고 머리도 나처럼 묶고 다녀. 별장아파트는 지어진 지 얼마 안 돼서 여기저기 다 반짝거려. 친구네 집은 거의 꼭대기에 있는데 놀러 가면 좋은 게 뭔지 알아? 친구 방에는 100가지도 넘는 게임을 할 수 있는 게임기가 있어. 우리 집에 없는 보드게임도 많고 정말 신기한 컴퓨터도 있어. 피아노도 맘껏 칠 수 있고 인형도 되게 많아. 우리 엄마랑은 완전히 다르게 친구 엄마는 하루 종일 게임 하고 놀아도 잔소리를 안 하셔. 우리를 다정하게 쳐다보면서 과자랑 과일도 계속 주시고."

"우와, 진짜? 담에 나도 같이 갈래. 거긴 어떻게 가?"

"음, 별장아파트 가는 길은 좀 무서워. 별장아파트는 아직 전부 지어진 게 아니래. 지금은 건물 두 개만 세워져 있고 주변에는 아무것도 없어서 바람이 쌩쌩 불어. 가끔 검은 고양이가 튀어나오는 덤불을 헤치면서 걸어야 해. 울퉁불퉁한 흙길도 있어서 비가 조금이라도 오면 너무 미끄러워. 근데 이것보다 더 무서운 게 뭔지 알아? 천둥처럼 큰 소리를 내며 돌아다니는 커다란 차들이야. 공사할 때 필요한 차라는데 공룡보다 더 무서워."

"응? 거긴 우리 이사 오기 전에 살았던 집 가는 길 아냐? 흙길이고 덤불도 있고 검은 고양이도 가끔 나왔었잖아. 엄마 말로는 지금 거기 큰 차들이 많이 왔다 갔다 한대. 우리 살았던 집도 큰 차들이 무너뜨렸대."

"아니야. 어제도 친구 집에 놀러 가서 게임 실컷 하고 왔는데?"

"언니, 꿈 꾼 거 아냐?"

그 뷔페 레스토랑의 절반은 지상에, 절반은 지하에 자리 잡고
있었다. 벽은 얼룩 하나 없이 새하얀 색이었고, 군데군데 창이 아주
작게 뚫려 있어서 안에 누가 있는지 전혀 알 수 없었다. 부모님은
미리 도착해 가장 아래층에 자리 잡고 있다고 했다. 나는 동생과
함께 레스토랑 안으로 들어섰다.

화려한 조명 아래에는 다양한 모양과 색깔의 접시들이 가지런히
놓여 있었다. 나는 그중 동그랗고 하얀 접시 하나를 집어 들었다.
고른 접시에 음식을 담기 위해서는 긴 복도와 계단을 지나야 했다.
한참을 걸은 후에 도착한 한 방에는 다양한 음식이 놓여 있었다.
이름도 낯설고 향도 특이한 고급 음식이 많았다. 나는 지하 깊숙한
곳에서 우리를 기다리고 있을 부모님을 떠올리며 접시에 음식들을
가득 담았다.

동생과 나는 그 방에서 나와 구불구불 이어진 계단을 따라

내려갔다. 그곳 역시 긴 복도가 있었는데, 양쪽으로 여러 나라의 식당들이 쭉 늘어서 있었다. 눈이 휘둥그레진 우리는 천천히 식당들을 둘러보며 어떤 음식을 주문할지 고민했다. 동생이 일본 식당 앞에서 걸음을 멈추었다. 그 식당은 영업을 하지 않는지 인기척이 없었다. 주방 쪽은 캄캄했고, 히라가나가 커다랗게 쓰인 등에만 주황빛 불이 들어와 있었다. 동생이 나를 바라보며 말했다.

"언니, 나 일본에서 살고 싶어 했잖아. 이제 때가 된 것 같아."

동생은 음식이 가득 담긴 접시를 나에게 건네고는 그 식당 안쪽으로 사라졌다. 나는 양손에 접시를 들고 부모님이 기다리고 있을 지하로 향했다. 지하로 이어진 계단은 모서리가 날카로웠다. 주변까지 더욱 어두워져서 발목과 종아리 몇 군데에 상처가 난 것 같았다. 양손에 든 접시도 점점 무거워졌다.

가까스로 도착한 이 뷔페 레스토랑의 가장 아래층은 굉장히 넓었고, 사람들로 북적이고 있었다. 한참 주변을 둘러보아도 부모님은 보이지 않았다. 천장이 까마득하게 높아졌다. 눈앞으로 상처가 하나도 나지 않은 종아리들이 계속 지나갔다. 양손에 들고 있던 접시가 점점 커졌다. 접시 하나를 떨어뜨렸다. 나머지 접시를 두 손으로 붙잡다가 그것도 놓쳐버렸다. 새하얀 접시와 고급 음식들은 한데 뒤섞여 고약한 냄새를 풍겼다. 나는 털썩 주저앉아 금방이라도 울음을 터뜨릴 듯한 표정을 지었다. 그때 누군가 허리를 굽히며 나에게 말했다.

"어머, 애야. 부모님은 어디 계시니?"

●
화
장
실

배에서 신호가 온다. 쉬는 시간은 이미 절반 정도 지난 상태다.
나는 조급한 발걸음으로 학교 복도를 지나친다. 오늘따라 복도는
무채색으로 보인다. 끼익, 소리가 나는 화장실 문을 밀어젖힌다.
역시나 예상대로 지저분하고 어둡다. 교실처럼 들어가기 싫지만
들어가야만 하는 곳. 누군가의 머리채 같은 대걸레가 여기저기에
쓰러져 있다. 신발 바닥은 끈적거리며 쩍쩍 소리를 낸다.

나는 누구도 잘 들어가지 않는 마지막 칸으로 다가가 문을 연다.
내 허리 높이 정도에 놓인 변기는 불에 타버린 것처럼 새까맣다.
변기 바닥에는 재래식 화장실처럼 커다란 구멍이 뚫려 있었는데,
학교 건물 지하까지 연결되어 있는 것처럼 보인다. 순간 현기증을
느낀 나는 다시 쩍쩍 소리를 내며 복도로 나온다.

무채색이었던 복도는 어느새 환해진다. 오른쪽으로 늘어서 있던
교실들은 최신식 상가들로 바뀐다. 나는 현란한 간판과 고급

상품들로 시선을 유혹하는 쇼윈도를 무심히 지나친다.

화장실, 화장실, 화장실! 한참을 헤매던 나는 드디어 상가 건물의 화장실을 발견한다. 문을 열자 광활한 화장실 내부가 보인다. 사방이 흰 타일로 반짝인다. 하지만 이곳에는 칸막이가 없다. 각양각색의 변기와 소변기가 띄엄띄엄 미술품처럼 놓여 있다. 배에서 더 강한 신호가 느껴진다. 나는 주위를 두리번거리며 가장 가까이에 놓인 변기로 다가간다. 그때 경찰과 경비원이 문을 열고 들어온다. 그들은 의심스러운 눈초리로 나를 바라본다. 나는 발걸음을 돌려 문밖으로 도망친다.

건물 밖으로 나가야겠어. 나는 식은땀을 흘리며 바깥으로 나선다. 다행히 금방 공중화장실이 눈에 들어온다. 다양한 색으로 알록달록하게 칠해진 화장실이다. 안에 들어가보니 깨끗하고 칸막이도 잘 설치되어 있다. 줄을 선 사람도 없다. 나는 땀을 닦으며 편안하게 변기에 앉는다.

그런데 변기에 앉자마자 잠금 장치가 풀리고 문이 투명한 유리로 바뀐다. 어느새 내가 들어온 칸 앞에는 다급한 표정의 여러 사람이 줄 서 있다. 나는 그들의 시선을 피하며 배 속의 찌꺼기를 내보내기 위해 애를 쓴다. 하지만 그들과 눈이 마주친 나는 결국 찌꺼기들을 내보내지 못하고 다시 고스란히 품은 채 변기에서 일어선다. 그러면서 생각한다. 얼른 이 꿈에서 깨어나 우리 집 화장실로 달려가야겠어.

●
국
어
선
생
님

온통 하얀색이었던 건물이 세련된 잿빛으로 바뀌었네. 졸업하고
얼마 만에 와 보는 고등학교인지. 국어 선생님은 아직도 잘 계신지.

정문에 들어서자 흡사 공원처럼 바뀐 교정이 한눈에 들어온다.
길과 나무들은 반듯하게 잘 다듬어져 있고, 학교 소식을 알리는
현수막이 곳곳에서 펄럭거린다. 건물 근처로 다가가니 길게 자라난
풀들과 그 사이에 놓인 꽃다발들이 보인다. 최근에 행사가 있었나.
나는 손바닥의 땀을 닦으며 건물 안으로 들어선다.

학교 안은 조용하다. 간간이 말소리나 인기척이 들리는 걸 보니
수업하는 교실이 있는 것 같기도 하다. 나는 안내판을 보며 교무실의
위치를 확인한다. 약간 미끈거리는 복도를 한참 걷고 나서야
'교무실' 세 글자가 보인다. 나는 장승처럼 나를 노려보는 커다란
나무 문을 힘겹게 밀고 교무실 안으로 들어간다.

교무실 안은 어둡고 흐릿하다. 선생님들은 나무 칸막이 사이에

앉아 등을 구부린 채 무언가에 집중하고 있다. 나는 최대한 기억을 끌어모아 국어 선생님의 등을 찾는다. 교무실을 몇 바퀴 돌고 나서야 국어 선생님이라고 확신한 등을 발견하고는 "선생님!" 하고 외친다. 그러자 그 굽은 등은 순식간에 연기처럼 사라져버린다. 그 자리에는 잿빛 가루만 한 움큼 떨어져 있다.

너무 놀란 나는 황급히 교무실 밖으로 뛰어나온다. 그러자 1학년 2반 교실이 내 앞을 가로막는다. 나는 쉬는 시간이어서 이리저리 움직이고 있는 학생들을 헤치고 그 교실을 통과해 복도로 나온다. 이번에는 2학년 1반 교실이 내 앞을 가로막는다. 한창 수업 중인 그 교실의 모든 시선이 나에게 쏠린다. 나는 몸을 최대한 낮추고 그 교실을 빠져나온다. 그러자 이번에는 3학년 4반 교실이 내 앞을 가로막는다. 나는 눈을 꾹 감고 최대한 빨리 그 교실을 빠져나오려 한다.

그때 익숙한 목소리가 들린다. 국어 선생님의 목소리다. 눈을 살짝 떠보니 국어 선생님이 등을 보이며 판서하고 있다. 나는 한참을 서서 수업 장면을 바라보다가 조용히 교실에서 나온다.

건물 밖으로 나와 고개를 숙이고 천천히 걷는다. 어디선가 통곡하는 소리가 들린다. 그제야 주위를 살펴보니 학교 건물은 온데간데없고 잿빛 비석과 무덤들만 보인다. 내 바로 앞에는 국어 선생님의 무덤이 놓여 있다. 나는 계속 들고 있던 꽃다발을 그 앞에 내려놓는다.

● 도 망 치 다

'저 남자들이 또 왔어!'

혼자 집을 지키던 나는 창밖을 보자마자 바로 그들임을 직감했다.
그들은 때로는 유령처럼, 때로는 그림자처럼 보였다. 얼굴은
분명하게 보이지 않았다. 베란다에 걸린 새장 안에서 세찬 날갯짓
소리가 들렸다. 화분 하나가 기우뚱거리더니 큰 소리를 내며
넘어졌다.

그들은 어느새 현관문 앞까지 와 있었다. 검은 실루엣이 점점
가까워지더니 현관문 손잡이를 잡고 돌리는 소리가 났다. 그 순간
머리가 없는 흰 새가 푸드덕거리며 거실을 날아다녔다. 넘어진
화분은 동굴처럼 뚫려 있었고, 그 안에서 온갖 곤충들이 끊임없이
쏟아져 나왔다.

'어디로 도망쳐야 되지?'

나는 옥상으로 연결된 작은 방으로 뛰어가 철제 계단을 올랐다.

계단은 미로처럼 끊임없이 이어졌다. 나는 수많은 계단을 오르내리고, 수많은 문을 열었다. 그래도 내 앞에는 또 다른 계단과 문이 계속 나타났다. 엄마가 연탄을 쌓아두었던 지하 창고로 이어진 계단도 내려갔다가 무거운 가방을 메고 등교했던 오르막길도 쉬지 않고 달렸다. 친구네 집에 갈 때 항상 지나쳤던 비좁은 골목길도 계속 달렸다. 칠이 벗겨지고 낡은 문마다 '개 조심'이라고 적힌 종이가 붙어 있었다.

그렇게 수많은 계단과 길을 오르내리며 도착한 곳은 바로 공원이었다. 나는 그제야 걸음을 멈추고 한숨을 내쉬었다. 그곳에는 위험하고 낡은 계단이 없었고, 냄새나고 어두운 골목길도 없었다. 산책로 옆으로는 잔잔한 강이 흐르고 있었고, 잘 가꾸어진 싱그러운 나무와 풀들이 있었고, 자유롭게 노닐며 노래하는 새들이 가득했다. 공원 여기저기서 여유를 즐기던 사람들이 모두 나를 쳐다보며 이렇게 말하는 듯했다.

"너도 집에서 도망쳐 나왔니?"

2부
빛이 있는 공간

동물 애호가

  자전거를 타고 한참을 달려 목적지에 도착했다. 여러 TV 프로그램에 출연 중이고 많은 사람의 존경을 받고 있는 J 선생님의 집. 한눈에는 몇 층인지 가늠하기 어려울 정도로 거대하고 높은 그 집은 고기를 잔뜩 뜯어 먹고 낮잠을 자기 위해 누운 한 마리의 맹수처럼 보였다.

  "오늘 미팅을 성공적으로 잘 마쳐야 네 앞에 탄탄대로가 놓일 거야."

  업계 선배의 말이 계속 귓가에 맴돌았다. 그 집은 입구에서 주춤대던 나를 날름 삼켰다. 집 안에 들어서자마자 J 선생님의 매니저가 다가왔다.

  "선생님은 아직 준비 중이세요. 괜찮으시면 옥상에 올라가 계실래요? 볼 것도 많고 조용한 곳이거든요."

  매니저의 말대로 옥상은 잘 조성되어 있었다. 광활한 그곳에는 동물 애호가로 알려진 J 선생님의 취향을 반영한 듯 동물을 소재로 한 예술 작품들이 전시되어 있었다. 바닥에는 여러 동물의 발자국 모양이 그려져 있었다. 그 발자국을 따라 여기저기에 놓인 작품들을 구경하던 나는 어느 순간 발자국이 끊겨 있다는 것을 알아챘다. 그 앞에는 벽이 있었다.

벽을 따라 한참을 걷다 보니 벽 뒤편으로 갈 수 있는 좁은 통로가 나타났다. 통로를 따라 들어선 공간에도 무언가가 전시되어 있었다. 가장 먼저 눈에 띈 것은 상자 속에서 태어나 그곳에서만 자란 것처럼 온몸이 사각형 모양으로 굳어버린 아기 코끼리였다. 그 옆에는 북어처럼 납작하게 눌린 불곰 두 마리가 대롱대롱 매달려 있었다. 인상을 찌푸리며 시선을 돌리니 아주 커다란 가오리 같은 것이 유리 진열관 안에서 꿈틀거리고 있었다. 자세히 보니 그것은 가오리가 아니라 고래의 잘린 꼬리 지느러미였다.

나는 뒷걸음치다가 무언가에 걸려 넘어졌다. 바닥에는 내 발자국이 선명하게 그려져 있었다. 겉옷을 벗어 발자국을 세게 문질렀지만 쉽게 지워지지 않았다.

나는 통로를 지나 다시 옥상으로, 옥상에서 그 아래층으로, 또 그 아래층으로 계속 달렸다. 그 거대한 집 안에 무수히 많은 발자국을 찍고 나서야 다시 바깥으로 나올 수 있었다. 나는 신발 아래에 붙어 덜렁거리는 마지막 발자국을 털어내고 자전거 페달에 발을 올렸다. 그러고는 금세 흙먼지와 함께 날아갈 자전거 바퀴 자국을 내며 집으로 향했다.

아랫배에 잔뜩 힘을 줘본다. 그래도 내 몸은 더 위로 올라가지 않는다. 물속에서처럼 살짝 다리를 오므렸다가 힘차게 아래로 내뻗어본다. 그제야 내 몸은 풍선처럼 두둥실 떠오른다. 방 천장에 살짝 머리가 부딪히고 나서야 주변이 눈에 들어온다.

평소 손길 한번 주지 못했던 장롱 꼭대기, 책장 꼭대기, 창틀 꼭대기는 유물처럼 낡아버린 물건들과 먼지더미를 품은 채 나를 노려본다. 나는 내 머리 꼭대기를 가볍게 문지른다. 그러고는 맑은 산소를 마시기 위해 수면으로 올라가는 금붕어처럼 천장 꼭대기를 지나 집 밖으로 나간다.

몸이 한결 가볍다. 기분도 좋아진다. 내 방은 보이지 않는 물로 가득 찬 어항이었을지도 몰라. 나는 집 주변을 날면서 아래를 내려다본다.

"여기 좀 보세요. 제가 새처럼 하늘을 날고 있어요."

조그맣게 보이는 사람들을 모두 모아놓고 이렇게 떠들면서
자랑하고 싶다. 하지만 이 말은 입안에만 찐득찐득하게 붙어 있을 뿐
입 밖으로 나오지는 않는다. 땅에 몸을 맡긴 채 걸어 다니는
사람들의 머리 꼭대기만 보인다. 그들의 얼굴은 보이지 않는다. 나는
계속 입만 뻐끔거릴 뿐이다.

　　이제 나의 관심은 하늘로 향한다. 저 구름이 있는 데까지만, 저
새가 날고 있는 곳까지만 올라가보자. 하지만 몸이 마음대로
움직이지 않는다. 방에서처럼 아랫배에 힘을 줘보기도 하고
팔다리를 휘저어보기도 한다. 하지만 나는 계속 비슷한 높이에
머무를 뿐이다.

　　동네 풍경을 내려다보는 것도 점점 지루해진다. 아무도 나와
대화해주지 않는다. 이제 슬슬 내려가볼까. 아, 이것조차도 내
마음대로 되지 않는다. 나는 하늘과 땅 사이에 걸쳐진, 더욱 외로운
경계인이 되고 말았다.

　　내 마음만 한없이 지상을 향해 추락했다.

내가 배달해야 할 쟁반 위에는 고슬고슬하게 잘 지어진 쌀밥 한 공기, 김이 모락모락 나는 제육볶음과 콩나물국, 그리고 유달리 빛깔이 붉은 김치가 놓여 있다. 나는 재빨리 이 쟁반을 동네 옷가게 사장님에게 전달해야 한다.

식당에서 나오고 한참 뒤에야 핸드폰을 두고 왔다는 사실을 깨닫는다. 익숙했던 동네 거리가 갑자기 낯선 풍경으로 바뀐다. 나는 이방인처럼 우두커니 서서 주변을 두리번거렸지만, 내가 가야 할 옷가게가 어디인지 전혀 파악하지 못한다.

그때 나처럼 우두커니 서 있는 전봇대가 눈에 들어온다. 그 전봇대에는 검은색 셔츠와 약간 찢어진 청바지가 가지런히 걸려 있다. 네가 자주 입었던 옷이다. 너는 없지만 너의 체취는 그 옷에 남아 있는 듯하다.

자세히 보니 전봇대에는 빈틈없이 깨알 같은 글씨가 적혀 있다.

네 글씨다. 나는 그 글을 읽기 위해 가까이 다가갔지만, 글자 하나하나가 물속에서 아른거리는 것처럼 잘 보이지 않는다. 항상 네 마음 깊숙한 곳에만 담겨 있었던 말들. 내가 너무나 듣고 싶어 했던 말들.

다시 주위를 둘러보며 걸음을 옮긴다. 여전히 거리는 낯설고, 내가 가야 할 옷가게는 보이지 않는다. 거리 곳곳에 박혀 있는 글자들이 모두 네 글씨처럼 아른거린다. 계속 코를 찌르던 음식 냄새 대신 네 체취만 주위를 떠다닌다.

나는 길가에 주저앉아 이 음식들을 먹기로 한다. 그리고 보니 네가 가장 좋아했던 음식이 제육볶음과 콩나물국, 그리고 잘 익은 김치였구나.

지독한 두통이 또 시작되었다. 나는 잠시 고민하다가 뒤통수에
조그맣게 뚫린 구멍으로 천천히 200그램 정도의 두통 덩어리를
뽑아냈다. 냄새가 고약하고 끈적거리기까지 하는 이 덩어리를
어디에 버려야 할까.

나는 두통 덩어리를 비닐에 싸 들고 집 앞 골목으로 나갔다. 마침
골목에는 아무도 없었다. 나는 주변을 두리번거리며 두통 덩어리를
골목 구석에 버렸다. 아차. 두통 덩어리가 떨어진 자리에는 노란
들꽃이 피어 있었다. 두통 덩어리는 들꽃을 서서히 짓누르다가 이내
새까맣게 뒤덮어버렸다.

그날 이후 다른 사람들의 두통 덩어리가 나를 괴롭히기 시작했다.
내 방 창문, 택배 상자 등에도 두통 덩어리가 들러붙어 온종일
고약한 냄새를 풍겼다. 누군가가 몰래 떼어버린 두통 덩어리들은
점점 주변을 얼룩지게 했다. 봄꽃들은 피자마자 보기에도 흉측할

정도로 새까맣게 말라비틀어졌고, 맑은 강에서도 악취가 나기
시작했다.

　나는 방 안에 앉아 눈을 감고 호흡을 가다듬었다. 그러면서 조금씩
밀려오는 두통이 어느 정도 쌓이기를 기다렸다. 두통이 어느 정도
쌓이자 나는 두통을 조금씩 아래로 내려 입안에 머금었다. 그러고는
꿀꺽 삼켰다. 이 오묘한 맛과 기분이란.

　하지만 두통은 바깥이 아니라 내 몸속 어딘가로 보내야만 했다.
두통을 받아들이고 달래줄 공간이 분명 내 몸속 어딘가에는 있었다.
두통을 삼킨 후 심호흡을 하다 보니 어느새 두통은 자신의 자리로 가
있었다. 그 자리에 간 두통은 더 이상 나를, 다른 사람을, 다른 어떤
것을 괴롭게 하지 않았다.

작동이 멈추어버린 벽시계 같은 머리를 부여잡고 자리에서 일어난다. 뻑뻑한 눈두덩을 누르니 모래 비비는 소리가 난다. 멍하니 벽을 쳐다본다. 흰 벽지에 다닥다닥 붙어 있는 사진 너머로 눈부시게 파란 하늘과 사람들의 웃음소리와 식당에서 풍겨 나오는 음식 냄새가 느껴지는 듯하다.

마구 요동치는 심장과 가빠지는 호흡을 간신히 달래고 운동화를 신는다. 끈에 매단 종이를 목에 걸려다가 종이에 쓴 글을 다시 한번 읽어본다.

안녕하세요. 저는 광장공포증 환자입니다. 그러니 제가 쓰러져 있어도 너무 놀라지 마세요. 다만 부탁드릴 점은 제가 넘어지면서 부상을 입지 않았는지 살펴봐주시고, 부상이 심하다면 응급처치를 해주시거나 응급차를 불러주세요. 어떤 방식으로든 꼭 사례하도록

하겠습니다. 감사합니다.

종이를 목에 걸고 최대한 느리게 밖으로 나선다. 햇살이 강한
날이다. 눈을 찡그리며 하늘을 쳐다본다. 맑은 가을 하늘에 구름
몇 점이 우아하게 떠 있다. 집에서 얼마나 멀어졌을까. 뒤를
돌아보는 순간 강한 어지러움이 느껴진다. 잠시 호흡을 가다듬고
목에서 대롱거리는 종이를 만져본다.

천천히 걷다 보니 어느덧 골목이 끝나가고 차도가 보인다.
오늘따라 동네가 너무 고요하다. 시간이 꽤 흐른 것 같은데 주위를
지나가는 사람이 단 한 명도 없다. 사람들이 있는 곳에 가면 마음이
조금이나마 편안해지겠지.

그러나 차도는 사람과 자동차 대신 아주 느리게 움직이는
생명체들로 가득했다. 자동차보다 큰 달팽이, 지렁이, 풍뎅이 등이
제자리에서 꿈틀대거나 느릿느릿 지나갔다.

차도는 가끔 이 생명체들이 들썩거릴 만큼 쑥 위로 솟구쳤다가
다시 아래로 가라앉았다. 우아하고 청량한 가을 하늘도 이
생명체들의 머리 꼭대기에 닿을 만큼 쑥 아래로 내려앉았다가 다시
제자리로 돌아갔다.

또 늦어버렸다.

수업 시작 시각은 이미 20분이나 지나 있었다. 두 다리는 조급한
마음처럼 재빠르게 움직이지 않았고, 항상 제자리에 꽂혀 있던
교사용 지도서도 보이지 않았다. 나보다 한참 어린 동료 강사들이
허둥대는 나를 의아한 시선으로 바라보았다. 원장 선생님의 불편한
시선도 뒤통수에 날카롭게 꽂혔다. 하지만 나는, 나를 기다리고 있을
학생들의 눈빛이 두려울 뿐이었다.

첫 수업. 나만의 강점을 내세워 내가 꽤 괜찮은 강사라는 것을
증명해야 하는 시간. 더구나 오늘은 지각까지 했으니 늦은 만큼
채워야 할 것이 많았다.

조심스럽게 강의실 안으로 들어서자, 여러 눈빛이 일제히 나를
향했다. 염려와는 다르게 호기심, 놀람, 어색함, 반가움 등 각자의
감정을 품고 다양하게 빛나던 시선들. 찬찬히 둘러봐도 실망감이나

불신, 경계를 담은 눈빛은 찾아볼 수 없었다. 내 안에서 안도감이 서서히 채워졌다.

하지만 긴장을 늦출 수는 없었다. 이런 학생들 앞에서는 더 나를 제대로 증명해야 한다! 나는 최대한 자연스러운 미소를 머금고 내 소개부터 시작했다. 다른 첫 수업에서는 간단히 끝났던 내 소개가 길게 이어졌다. 그러다 보니 지인들에게도 편하게 말한 적 없었던 과거의 자랑거리들이 술술 나왔다. 나는 소소한 자랑거리들을 상장이나 자격증처럼 부풀려 자랑스럽게 내보이기 시작했다. 나는 과거를 재연하는 내 목소리에 취했고, 눈앞에 생생하게 펼쳐진 과거의 장면들을 바라보며 홀로 감격에 젖었다.

1시간이 넘도록 쉴 새 없이 이어진 내 이야기는 드디어 끝이 났다. 그런데도 나는 여전히 과거 속에서 헤어 나오지 못했다. 이 정도면 충분히 강사로서의 자격을 증명했겠지. 나는 학생들의 달라졌을 눈빛을 기대하며 눈에 고인 눈물을 살짝 훔쳐냈다.

하지만 강의실은 텅 비어 있었다. 다채롭게 빛나던 많은 시선도 다 사라지고 없었다. 심지어 책상과 의자까지도. 내 과거가 강의실을 서서히 점령하자, 학생들의 머릿속에서는 막막하고 불안한 미래의 모습이 뿌연 안개처럼 떠돌았다. 학생들의 미래는 내 과거로는 전혀 안도감을 찾을 수 없었다. 그들의 눈빛이 하나둘씩 새까맣게 꺼졌다.

결국 학생들은 내가 나를 증명하고자 쉴 새 없이 떠들어댔던 오후 6시와 7시 사이, 과거와 현재, 미래 어느 곳에도 안착하지 못하고 책상과 함께 지하 깊숙한 곳으로 가라앉고 말았다.

● 버스 노선도

　예상하지 못한 곳에 버스 정류장이 있었다. 역시나 예상하지 못한 많은 사람이 한 방향으로 고개를 돌린 채 버스를 기다리고 있었다. 나는 몇 번 버스를 타야 하는지 알지 못했지만, 어떤 것이든 타고 어디로든 가야 할 것 같았다. 자신이 가야 할 방향에 대해 주저하는 사람이 적어졌을 때 한 버스가 도착했고, 나는 그 버스에 올라탔다.

　나는 제일 앞자리에 앉았다. 고개를 돌려 버스 기사의 옆모습을 힐끔 쳐다보았다. 그는 고개를 꼿꼿하게 들고 정면만 뚫어지게 바라보고 있었다. 그 모습은 '당신도 정면을 잘 주시하세요'라고 암묵적으로 이야기하는 것 같았다.

　도로 위를 달리던 버스는 급회전을 하더니 좁은 길로 들어섰다. 사람들과 차들이 여기저기에서 불쑥 튀어나왔다. 길이 너무 좁아서 양쪽 건물이나 전봇대에 금방이라도 부딪힐 것 같았다. 골목 끝에서 놀고 있는 어린아이들이 보이자 나는 눈을 감아버렸다. 다행히 버스는 몸을 이리저리 비틀며 좁은 길을 잘 통과했다. 손바닥이 축축해졌다.

내가 내려야 할 정류장은 어디일까. 나는 버스 노선도를 보기 위해 자리에서 일어섰다. 버스 노선도는 좌우에 여러 개가 쭉 붙어 있었다. 하지만 버스 노선도에는 동그라미만 그려져 있을 뿐 어떤 글자도 적혀 있지 않았다.

나는 버스 중간쯤으로 자리를 옮겨 창밖을 바라보았다. 골목에서 빠져나온 버스는 해안가를 달리고 있었다. 눈앞까지 바다의 파도가 밀려오는 것 같았다. 우와. 나는 탄성을 질렀다. 바다 한가운데에 앙코르와트 같은 사원이 있었다. 아니, 앙코르와트였다! 나는 얼른 핸드폰을 들어 그 광경을 찍으려 했지만, 앙코르와트는 금세 사라지고 말았다. 바다는 계속 기괴하고도 놀라운 풍경을 보여주었다. 제일 앞자리에서는 절대 볼 수 없는 절경을.

어느덧 버스는 익숙한 도심 풍경이 보이는 시내로 들어섰다. 날이 조금씩 어두워지더니 이내 깜깜한 밤이 되었다. 한참을 달리던 버스는 드디어 한 정류장에서 멈추었다. 교복을 입은 학생, 정장을 입은 직장인 여러 명이 버스에 올라탔다. 그러자 버스 노선도에 그려져 있던 동그라미에 불이 하나씩 들어오기 시작했다.

버스에 탄 그들은 앞이나 중간 좌석에 앉지 않고 버스 제일 뒤쪽으로 걸어갔다. 약간 바닥이 높은 그곳에는 소파처럼 안락한 의자들이 있었고, 의자 위에는 푹신한 베개와 이불이 놓여 있었다. 그들은 하나씩 자리를 잡더니 편안한 얼굴로 의자에 기대 눈을 감았다.

버스 노선도에 켜진 노란 불빛들이 더욱 부드럽게 버스 안을 맴돌자 버스는 다시 달리기 시작했다.

전망 좋은 엘리베이터

엘리베이터 문이 열린다. 어림잡아도 10평은 넘어 보이는 엘리베이터 안에서는 입주민들의 파티가 진행 중이다. 화려한 옷을 입고 와인 잔을 든 채 엘리베이터 통유리 너머로 펼쳐진 전망 좋은 풍경을 바라보며 나긋나긋하게 대화를 나누는 사람들. 초고층, 최고급 아파트에 거주한다는 자부심이 엘리베이터 공기 안에도 가득하다. 나는 금방이라도 깨져버릴 듯한 얼굴로 엘리베이터 안에 발을 들여놓는다.

오늘 방문 수업을 진행해야 할 집은 다섯 곳이다. 가장 먼저 방문할 집은 A동 825호. 나는 8층 버튼을 꾹 누르고 잠시 눈을 감는다. 나를 기다리고 있을 아이들의 눈빛이 머릿속에서 반짝였을 때 엘리베이터가 갑자기 수평으로 움직이기 시작한다. 눈을 떠보니 입주민들은 아무도 없고 나 혼자뿐이다. 분명 꾹 눌렀던 8층 버튼에는 불이 꺼져 있다.

엘리베이터는 레일을 따라 계속 움직인다. 나는 기차에 탄 여행객처럼 통유리 밖을 구경한다. 엘리베이터는 A동 중앙 로비에서 천천히 멈춘다. 그곳에는 많은 입주민이 모여 있었고, 클래식 콩쿠르에서 수상한 유명 연주자들이 공연 중이다. 대형 공연장이나 TV에서나 볼 법한 그들을 뚫어지게 쳐다보다가 눈을 감고 음악에 집중해본다. 그것도 잠시. 지금 첫 수업을 시작해야 하는데.

8층 버튼과 열림 버튼을 세게 눌러봐도 소용이 없다. 이제 엘리베이터는 A동 바깥으로 나가 다른 동으로 이동한다. 저절로 탄성이 나오는 멋진 조경이 단숨에 눈길을 사로잡는다. 나는 통유리에 얼굴을 바싹 대고 넋을 잃은 채 풍경을 감상한다. 그러다 갑자기 든 생각. 뒤 수업도 줄줄이 늦으면 정말 큰일 나는데.

나는 층수 버튼 앞으로 가 다른 호출 버튼이 없는지 살펴본다. 정작 중요한 버튼은 없고 버튼 테두리마다 화려하게 장식된 금색 문양만 눈에 띌 뿐이다.

화가 난 나는 주먹으로 버튼들을 마구 친다. 그러자 30개 정도였던 버튼 수가 확 늘어난다. 40개, 50개, 100개……. 그 많은 버튼에 한꺼번에 불이 들어오더니 수평으로 움직이던 엘리베이터는 다시 수직으로 움직이기 시작한다. 그런데 속도가 너무 빠르다. 금세 귀가 먹먹해진다. 엘리베이터는 아파트 옥상을 지나 계속 위로 올라간다.

나는 귀를 막고 바닥에 주저앉는다. 다른 방법이 없다.

나는 지하 주차장 한 귀퉁이에 앉아 있다. 하루에도 여러 대의
차가 오르내리지만 먼지 하나 일지 않고 소음 하나 없이 조용한 곳.
조명은 스탠드 불빛처럼 은은하고 공기마저 시원하고 쾌적한 곳.
지상의 풍경과 내음을 고스란히 안고 들어오는 자동차들을 구경하는
재미가 쏠쏠한 곳. 그래서 나의 작업실은 이곳이 되었다.

내 앞에는 두툼한 교정지가 놓여 있다. 나는 어깨를 몇 번 돌린 후
빨간색 펜을 들고 작업을 시작한다. 그때 자동차 한 대가 빠른
속도로 내 앞을 지나간다. 교정지 몇 장이 날아가 바닥에
흐트러진다. 그 차는 급히 커브를 돌다가 조용히 멈춰 서 있던 다른
차의 사이드미러를 부러뜨리고 지나간다. 푸른 하늘과 뭉게구름을
담고 있던 사이드미러는 바닥에 떨어져 산산조각이 난다.

저쪽 귀퉁이에 앉아 있던 한 남자가 일어선다. 그는 종이와 펜을
들고 사이드미러가 떨어진 곳으로 가 무언가를 적기 시작한다.

사이드미러를 부러뜨린 차에서도, 사이드미러가 부러진 차에서도 사람은 내리지 않는다. 그 남자는 자기 자리로 돌아가 수화기를 든다. 그러자 어디선가 청소부가 나타나 깨진 사이드미러를 순식간에 치운다.

이 사건이 벌어지는 동안 내 귀에 들린 건 귀퉁이에 앉아 있던 남자가 걷는 소리와 청소부의 빗자루 소리 정도다. 사이드미러가 부러지고 떨어져 깨진 소리는 왜 들리지 않았을까.

주차장은 무슨 일이 있었냐는 듯 말끔하고 조용해진다. 나는 흐트러진 교정지를 주워 모은다. 교정지에는 먼지 하나 묻어 있지 않다. 나는 다시 빨간색 펜을 들고 작업에 집중한다. 이곳은 여전히 나에게 최고의 작업실이다.

●
약
국

퇴근길, 심한 피로감이 몰려온다. 몸은 금세 고꾸라질 듯
휘청거린다. 나는 무사태평한 표정으로 꼿꼿하게 서서 버스를
기다리는 사람들 틈을 비집고 약국 안으로 들어선다.

"피로 회복제 하나 주세요."

유난히 번쩍이는 금테 안경을 쓴 약사는 내 얼굴을 한참 동안
살펴보더니 내 이름을 묻는다. 나는 잠시 주저하다가 이름을 말한다.
그러자 약사는 조제실 뒤쪽에 있는 창고로 가더니 커다란 상자
하나를 들고 온다. 그 상자 위에는 내 이름이 적혀 있다. 약사가
조심스럽게 상자 뚜껑을 연다. 상자 안에는 다양한 종류의 약이 가득
담겨 있다. 자세히 보니 모든 약에는 숫자가 크게 적혀 있다.

"약을 제때 안 드셨나봐요. 특히 어릴 때요."

"네? 무슨 말씀이신지……."

"여기 10이라고 적힌 약 보이시죠? 열 살 때 고열로 일주일 넘게

앓으셨군요. 열세 살 때는 심하게 넘어져서 여기저기 찢어지고 멍든 적이 있으셨네요. 뒤통수가 깨져서 몇 바늘 꿰맨 적도 있으시고요. 그때마다 왜 이 약들을 안 드셨어요?"

맞다. 약을 억지로 삼키는 것이 싫어서 엄마 몰래 뱉은 적이 있다. 그때 안 먹은 약들이 여기 다 모여 있을 줄이야. 나는 내 나이보다 많은 숫자가 적힌 약들을 가리키며 묻는다.

"그렇다면 이 약들은 제가 앞으로 먹어야 하는 것들인가요?"

"네, 맞습니다. 구매나 복용 여부는 손님이 자유롭게 결정하시면 되지만, 적어도 앞으로는 무사태평하게 지내셔야 하지 않겠어요? 병이 점점 심해져서 갑자기 길에서 고꾸라지는 것도 곤란하실 거고요."

"흠, 이 약들은 어디가 안 좋을 때 먹는 것들인가요?"

약사가 안경테를 올리며 약들을 하나하나 살핀다.

"우선 내년쯤 신장에 문제가 생겨 고생하시겠어요. 그로부터 석 달 뒤에는 고지혈증이 생길 거고요. 3년 뒤쯤에는 심혈관에 문제가 생겨 입원하실 수도 있고, 5년 지나고는 자율신경계의 균형이 완전히 무너지네요. 미리 약을 드시지 않는다면……."

갑자기 머리가 어지럽고 가슴이 답답해진다. 나는 하얗게 질린 얼굴로 피로 회복제와 앞으로 먹어야 할 약들을 전부 달라고 말한다. 피로 회복제를 한입에 털어 넣은 나는 빵빵한 약봉지를 받아 들고는 홀쭉한 얼굴로 약국 문을 나선다. 그새 날이 어둑어둑해졌지만 이제야 눈에 들어온다. 무사태평한 표정으로 꼿꼿하게 서서 버스를 기다리던 사람들의 손에 들린 약봉지가.

● 대단한 영화

영화관 안에는 빈 좌석이 없을 만큼 사람들로 가득하다. 나와 너의 좌석은 딱 정중앙에 있다. 하지만 스크린 크기는 좌석 수에 비해 터무니없이 작다. 고등학교 교실 앞에 놓여 있던 TV처럼 보이기도 한다. 게다가 스크린은 두 개로 쪼개져 있다.

너와 내가 정말 좋아하는 감독의 신작. 해외에서도 세기의 예술 영화라고 극찬을 받은 작품. 곧 암전이 되고 이 '대단한' 영화가 시작된다.

영화는 두 스크린을 통해 쪼개진 채 상영된다. 그러다 보니 나와 너의 눈동자는 왼쪽 스크린에 머물렀다가 오른쪽 스크린으로 옮겨 가기 바쁘다. 우리는 '대단한' 영화를 감상하려면 이 정도 불편 따위는 괜찮다고 생각한다.

쿵. 왼편에서 누군가 신음을 내며 바닥으로 쓰러지는 소리가 들린다. 나는 주연 배우의 입술이 섹시하게 생겼다고 생각한다.

앞쪽에서 찰싹찰싹 때리는 소리가 나다가 한 여성의 비명이 들린다. 조연 배우의 대사에 네가 호탕하게 웃는다.

비상구 쪽 암막이 걷히더니 흉기를 든 사람이 들어와 관람객들을 위협한다. 나는 오른쪽 스크린에 뜬 자막을 놓치지 않고 읽기 위해 미간을 찌푸린다. 뒤쪽 천장에서 무언가 와르르 쏟아지는 소리가 들리더니 앰뷸런스 사이렌 소리가 울린다. 네가 나에게 고개를 돌리며 묻는다. "방금 주인공이 뭐라고 말했어?"

어느덧 영화는 끝나고 영화관 안은 다시 밝아진다. 이 '대단한' 영화를 끝까지 본 사람은 우리 둘뿐이다. 영화관은 그사이에 쪼개지고 또 쪼개져 좌석이 몇 개 안 놓여 있다. 우리는 피비린내와 매캐한 연기가 걷히지 않은 이곳에서 같은 영화를 다시 한번 보기로 한다.

오
래

지
켜
보
다

한 젊은 여자가 있다. 빨래가 주렁주렁 매달린 베란다 창문으로 바깥을 하염없이 바라보다가 골목이 조용해지면 집 앞으로 나가보는 여자. 마르지도 뚱뚱하지도 않은 적당한 체격이어서인지 아픈 곳 없이 건강해 보이는 여자. 하지만 곁으로 오토바이나 승용차가 지나가거나, 큰 소리로 떠들면서 걷는 사람들과 마주하면 금방 얼굴이 새하얗게 질려버리는 여자. 꼿꼿하게 허리를 세우고 천천히 나왔다가 5분도 채 되지 않아 몸을 구부리고 빠른 걸음으로 사라져버리는 여자. 해가 저물고 나서야 혈색이 돌아온 얼굴로 베란다 창문에 고개를 내민 여자. 멀리서 오래 사람들을 지켜보는 여자.

한 할아버지가 있다. 집 앞에 놓인 나무 의자에 앉지 않고 계속 제자리에 서서 지나가는 사람들을 바라보는 할아버지. 다리를

심하게 절룩거려서 지팡이가 없으면 서 있기도 버거워 보이는
할아버지. 하지만 안면이 있는 동네 할머니가 말을 걸거나 하교하는
학생들이 떠들면서 우르르 지나가면 얼굴의 온 주름이 움직일
정도로 환하게 웃는 할아버지. 집 사이로 내리쬐던 햇빛이 점점
약해지고 지나가는 사람 하나 없이 골목이 조용해지면 굳은 얼굴로
바닥만 내려다보는 할아버지. 가까이서 오래 사람들을 지켜보는
할아버지.

나는 때로는 멀리서, 때로는 가까이서 두 사람을 번갈아 바라본다.
최대한 오래.

새로 이사한 집은 지하 1층이었다. 지하 1층이면 어때, 거실이 넓어서 큰 소파를 놓을 수 있잖아. 나는 잠옷으로 갈아입은 후 아직은 선득한 소파에 앉아 집 안을 창밖 풍경처럼 바라보았다.

그때 소파가 천천히 위로 움직이기 시작했다. 마치 엘리베이터처럼. 곧 1층의 내부가 보였다. 아이들의 장난감과 빨래가 여기저기서 뒹굴고 있었다. 다행히 어두컴컴한 집 안에서는 어떤 소리도 들리지 않았다. 소파는 2층, 3층을 거쳐 6층에 다다랐다. 커다란 창을 통해 들어오는 햇빛에 눈이 부셨다. 바닥과 천장에서도 광이 났다. 집 안 여기저기서 사람들의 발소리와 목소리가 들렸지만, 나는 개의치 않고 창밖 풍경을 바라보았다.

소파는 다시 천천히 움직이더니 제일 위층인 8층에 다다랐다. 8층의 투명한 벽에는 대표, CEO, 사장 등의 직함과 함께 여러 사람의 이름이 새겨져 있었다. 이어 사무실 풍경이 눈에 들어왔다.

그곳에는 내가 지금까지 근무했던 여러 회사의 대표들이 모여 있었다. 그들은 각자의 커다란 책상 앞에 앉아 마주 서 있는 직원에게 호통을 치고 있었다.

　나는 그들이 잠옷을 입고 있는 나를 발견할까봐 조마조마했다. 소파 여기저기를 살피며 아래로 내려갈 수 있는 버튼이 혹시 있는지 찾아보았다. 그런 버튼은 어디에도 없었다.

　그때 "안주영 씨!" 하는 익숙한 목소리가 들려왔다. 그 소리와 동시에 나는 소파와 함께 지하 1층으로 '쿵' 떨어졌다. 나의 새 집은 아무 일도 없었다는 듯 고요했다.

3부
오늘 일어난 사건들

드럼 연주를 마치고 집에 돌아왔다. 나는 부러진 드럼 스틱을 테이블 위에 놓고는 의자에 털썩 주저앉았다. 너무 열정적으로 연주해서인가. 양팔이 심하게 저리다가 이내 그 느낌도 사라졌다.

어, 이게 뭐야. 갑자기 열 개의 손가락이 제멋대로 움직이기 시작했다. 일시적인 경련이겠지. 나는 의자에 몸을 기대고 눈을 감았다. 양손의 감각이 전혀 느껴지지 않았다. 잠시 뒤 눈을 떠보았지만, 역시나 손가락들은 이리저리 꿈틀대고 있었다.

매일 보던 내 신체의 일부가 갑자기 낯설어졌다. 손가락들은 무언가 나에게 메시지를 보내는 수어처럼 보이기도 했다가, 심해에서 흐느적거리는 생명체처럼 보이기도 했다가, 전원이 있다면 바로 꺼버리고 싶은 잔혹한 장난감처럼 보이기도 했다.

손가락을 마음대로 쓰지 못하니 할 수 있는 것이 없었다. 나는 그저 손가락들을 바라보며 이 기괴한 경련이 빨리 가라앉기만을 바랄 뿐이었다. 그런데 계속 보고 있자니 왼손의 다섯 손가락은 계속 오른손을 향해 몸부림치듯 움직이고 있었고, 오른손의 다섯 손가락은 왼손 방향으로 꿈틀대고 있었다. 팔을 조금씩 움직여봤지만 양 손가락이 움직이는 방향은 변하지 않았다.

그 움직임은 강렬한 메시지였다. 나는 천천히 두 팔을 가운데로 모았다. 서로를 향해 처절하게 꿈틀대던 양 손가락의 거리가 점점 가까워졌다. 열 손가락이 맞닿자 손가락들은 질서정연하게 스스로 깍지를 꼈다. 그러고는 잠잠해졌다. 조금씩 양손에 혈색이 돌기 시작했다.

그제야 나는 최근에 양손을 모아 기도한 적도, 손깍지를 낀 적도, 두 손을 비빈 적도 없음을 깨달았다. 오로지 내 양손에는 드럼 스틱만 쥐어져 있었던 것이다.

● 주먹다짐

끝이 보이지 않는 구불구불한 길을 걷고 있었다. 길옆으로는 자동차들이 느릿느릿 지나갔고, 손수레를 끌던 할아버지가 잠시 멈춰서 쉬고 있기도 했다.

어디선가 교복을 입은 남학생 두 명이 나타났다. 둘은 가볍게 서로를 툭툭 치다가 언성이 높아지더니 주먹다짐하며 싸우기 시작했다. 누군가에게서 흘러나온 핏방울이 교복 여기저기에 선명한 자국을 남겼다.

두 사람의 얼굴은 계속 바뀌었다. 초등학교 다닐 때 좋아했던 친구, 고3 때 담임 선생님, 첫 회사의 차장님, 먼저 세상을 떠난 대학 선배, 예전 남자친구, 그리고 아빠와 엄마. 두 사람은 누군지도 모르는 상대에게 계속 주먹을 날리고 피를 흘렸다.

이제 둘은 사람이 아니라 하나의 덩어리처럼 보였다. 그 덩어리는 구불구불한 길의 모서리에 계속 통통 부딪히며 이리저리

굴러다녔다. 나는 가까이 다가가 둘의 싸움을 말리고 싶었다. 하지만 손수레를 끌던 할아버지가 가만히 내 옷자락을 잡아당겼다.

두 사람의 교복 위로 핏방울, 피부와 뼛조각, 흙먼지, 땀방울, 눈물이 하나씩 켜켜이 쌓였다. 그렇게 누군가에 대한 분노와 원망, 상처를 다 토해낸 둘은 길 한복판에서 딱딱하게 굳은 채 싸움을 멈추었다. 그 덩어리는 무덤처럼 보였다.

나는 다시 걷기 시작했다. 할아버지의 손수레도 다시 움직였다.

그들의 발

그리웠던 얼굴들이 하나씩 가까워진다. 중2 때 담임 선생님,
합창부 친구, 대학 동기, 학원 제자. 나는 점점 명료해지는 그들의
얼굴을 차마 보지 못하고, 고개를 푹 숙여 그들의 발을 바라본다.
깜찍한 리본이 달린 플랫 슈즈, 발톱 매니큐어 색과 잘 어울리는
샌들, 유명 브랜드의 신상 운동화, 통굽이 달린 가죽 부츠가 보인다.
신발들은 하나같이 "나 지금은 이렇게 잘 지내"라고 인사를 건넨다.
내 신발은 묵묵부답이다.

집에 돌아오고 나서야 내 신발의 뒤축이 구겨져 있는 것이 보인다.
나는 통증이 밀려오는 다리를 주무르며 두툼한 이불 속으로
들어간다. 금세 잠이 나를 짓누르고 다리 통증도 조금씩 가라앉는다.

그때 무언가 발끝에 닿는다. 나는 다리의 위치를 조금 옮긴다. 또
무언가 발끝을 건드린다. 나는 뻗었던 다리를 오므린다. 이번에는
무언가 다리를 쓰다듬는다. 하나가 아닌 여러 개인 듯하다!

화들짝 놀란 나는 벌떡 일어나 이불을 젖힌다. 이불 속에서 여러 개의 잘린 다리가 발가락을 꼼지락거리고 있다. 곱슬 털이 마구 엉켜 있는, 군데군데 새파랗게 멍든, 수술 자국이 선명한, 발바닥이 벌겋게 벗겨진 다리들이다. 내가 아까 미처 보지 못했던, 그리웠던 사람들의 다리. 그 다리들은 집에 갈 생각을 안 하고 계속 내 다리 주변에 모여 있다.

나는 그 다리들을 하나씩 쓰다듬어준다.

● 세
  여
  행
  자

숙소 창밖으로 바다가 보인다. 얼마 만에 친구들과 놀러 온 여행인지. 나는 바다를 좀 더 가까이에서 보기 위해 발코니로 향한다. 그때 발코니 창 너머로 짙은 그림자가 드리운다. 푸드덕 소리가 나더니 무언가 발코니로 내려앉는다. 머리는 물고기이고 몸통은 새인 정체 모를 생명체다.

투명하게 빛나는 창을 사이에 두고 그 생명체와 나는 계속 서로를 뚫어지게 바라본다. 내가 잠시 시선을 돌린 사이, 그 생명체는 잠자리를 낚아채 커다란 입으로 우물우물 씹는다. 그 입은 점점 웃는 모양으로 변한다. 곧이어 공허했던 눈도 반달 모양으로 웃는다.

잠자리 꼬리가 자취를 감출 무렵 해도 모습을 감추고 대신 푸른 달이 모습을 드러낸다. 친구들은 뭘 하고 있을까. 나는 A가 들어간 방으로 향한다. 그때 내 옆으로 털이 북슬북슬한 개 한 마리가 후다닥 지나간다. 그 개는 입안 가득 물을 머금고는 침대 위에 뻗어

있는 A의 얼굴에 천천히 물을 뿌린다. 그래도 A는 미동도 하지
않는다. A는 그간 못 이루었던 잠을 자느라 일어나지 않는다.

　나는 그 방에서 나와 H가 들어간 방으로 향한다. 방문 틈으로
시퍼런 달빛이 칼날처럼 꽂혀 있다. H는 이미 몸속의 물을 다
토하고는 수십 년 된 고목처럼 말라비틀어져 있다. 나뭇가지처럼
앙상해진 H의 팔 위에는 검은 새 한 마리가 고고하게 앉아 있다.
그 새는 가끔 H가 토한 물을 쪼아 먹으며, 바다보다 시퍼런 달을
바라본다.

여행을 마치고 집으로 돌아온 날. 우리 가족은 현관문 앞에서 꼼짝을 하지 못한다. 도대체 누가 이렇게 해놓은 것일까.

현관문 한가운데에 커다란 나무 십자가가 박혀 있다. 아빠는 말없이 그 십자가를 뚫어지게 바라본다. 엄마가 집 안으로 들어가 공구 박스를 들고나온다. 나도 나무 십자가를 뚫어지게 바라본다. 이리저리 살펴봐도 못 자국 하나 보이지 않는다. 아주 먼 곳에서 빠른 속도로 날아와 그대로 현관문에 박혀버린 듯하다. 아빠는 입을 꾹 다물고 다양한 공구를 써가며 나무 십자가를 빼보려 한다. 하지만 그럴수록 나무 십자가는 현관문 깊숙한 곳으로 몸을 숨긴다. 이마에 땀이 맺힌 아빠가 고개를 절레절레 젓는다.

현관문 앞에는 꽤 정교하게 색이 칠해진 예수 조각상이 떨어져 있다. 저 나무 십자가에 매달려 있다가 떨어진 것일까. 나는 예수 조각상을 조심스럽게 들어 올린다. 통으로 조각된 것이 아니라 머리,

몸통, 팔다리가 따로 붙어 있다. 가볍게 잡아당겼을 뿐인데 오른쪽 다리가 쑥 빠진다. 깜짝 놀란 나는 다시 다리를 끼우려 하지만 잘 들어가지 않는다.

예수 조각상은 한참 가지고 놀다 망가진 장난감처럼 보인다. 하지만 그대로 쓰레기통에 버리기에는 왠지 찜찜하다. 나는 계속 예수 조각상을 들고 다니면서 베란다 창틀에 올려놨다가 다시 방으로 가져왔다가 결국 거실 구석에 놓는다.

이후 우리 가족은 하루에도 몇 번씩 집을 드나들 때마다 나무 십자가와 마주한다. 예수 조각상은 누가 옮겨놨는지 거실 한가운데인 TV 옆에 자리 잡는다.

밤새 빗소리가 지붕을 두드리더니 어느새 조용하다. 창문을 열어보니 집 앞 공터에 자그마한 바다가 생겼다. 규모만 작을 뿐이지 저 멀리 수평선도 보이고 간간이 파도도 밀려온다. 어디선가 사람들도 하나씩 밀려온다. 허공으로 흩뿌려졌다가 가라앉은 이들의 웃음 덕분인지 부옇게 보였던 바닷물이 점점 맑아진다. 아니, 눈이 부시게 푸르러진다.

현관문을 두드리는 소리가 들린다. 문을 열어보니 배달 주문한 음식이 단정히 놓여 있다. 그 옆에는 배달 기사의 헬멧과 작업복이 뒹굴고 있다. 배달 기사는 반바지만 입은 채 신나게 바다로 뛰어든다. 폐지를 줍던 두 할머니가 나란히 앉아 그 모습을 바라보며 깔깔거린다. 배달 기사의 작업복은 그새 거실까지 기어 올라와 햇빛이 비치는 자리에 편안히 눕는다.

나는 테이블에 음식을 놓는다. 그러고는 적막과 소음이 번갈아

오가던, 악취와 흙먼지가 둥둥 떠다니던, 소외와 그늘이 단단히 뿌리 내렸던 공터를 충만하게 채운 바다와 그 안에서 각자 반짝이는 사람들을 바라본다.

● 노
란
색

리
본

　우리 가족은 또 그 식당에 가 저녁을 먹기로 한다. 걸어서 갈 수
있고, 조용한 방이 따로 있는 데다가, 음식도 정갈한 곳. 내게는
무엇보다 길게 땋은 머리끝에 노란색 리본을 단 여자 종업원이
인상적이었던 곳. 그는 오늘도 근무하고 있을까. 그는 또 가만히
서서 액자 속 그림을 바라보고 있을까.

　우리 가족은 남자 종업원의 안내에 따라 몇 개의 방을 거쳐 제일
안쪽에 있는 방으로 들어간다. 나는 복도 끝에 걸려 있는 그림을
자세히 들여다본다. 잔잔한 강물과 덩그러니 놓인 벤치를 그린, 다소
밋밋한 그림이다. 그 여자 종업원은 왜 이 그림을 그렇게 오래도록
들여다보았을까.

　한창 식사를 하던 중 나는 화장실에 가기 위해 방 밖으로 나온다.
노란색의 무언가가 눈앞을 스친다. 그 종업원이다! 그는 오늘도 곱게
땋은 머리끝에 노란색 리본을 달고 있다. 그는 나를 전혀 의식하지

않은 채 입을 꾹 다물고는 복도 저쪽 끝에서 멀리뛰기 자세를 하고 있다. 그는 도움닫기를 해 그림 앞까지 펄쩍 뛴 후 이마의 땀을 닦는다. 머리끝에 달린 리본이 위태롭게 흔들린다. 그는 가만히 서서 그림을 바라본다. 나 역시 가만히 서서 그의 뒷모습을 바라본다.

다시 방으로 들어간 나는 식사를 마친 후 가족들과 함께 방 밖으로 나온다. 오늘은 그 종업원에게 인사라도 하고 갈까. 나는 이리저리 고개를 돌리며 그를 찾았지만 보이지 않는다. 대신 나는 복도 끝에 걸린 그림을 다시 바라본다. 아까는 없었던 한 여자가 그림 속 벤치에 앉아 강물을 바라보고 있다. 길게 땋은 그 여자의 머리끝에는 아주 작은 노란색 리본이 달려 있다.

나는 그 뒷모습을 조용히 바라보다가 식당에서 나온다.

반려동물

집에 돌아오니 거실 한가운데에 커다란 박스가 놓여 있었다.

"후유, 드디어 올 게 왔구나. 근데 박스가 왜 이리 크지?"

"1가정 1반려동물이라니, 뭐 이런 억지 정책이 다 있냐고!"

"이거 완전 랜덤이라던데. 우리 집엔 어떤 동물이 왔으려나."

"얘들아, 엄마는 고양이 진짜 싫어하는 거 알지? 고양이 나오면 엄마는 이 집에서 못 산다."

"엄마, 난 새 공포증 있잖아. 새 나오면 어떡하지?"

"내 친구네는 귀여운 강아지가 왔다던데. 걔는 벌써 SNS에 사진 올리고 자랑이 말도 아니야."

"동물 안 키워본 사람은 어떻게 하라고 이렇게 강제로 떠미는 건지."

"그래도 아빠, 이렇게라도 돌보지 않으면 수많은 동물이 너무 쉽게 죽어버리잖아. 연약한 동물들이 살기엔 너무 환경이 척박해졌어.

관상용 식물만 잔뜩 키우는 게 답은 아니라고."

"그건 그렇고 저 박스는 누가 뜯을 거니?"

"난 싫어. 진짜 새라도 푸드덕거리면서 나오면 난 기절할지도 몰라."

"알아서들 뜯으세요. 새끼 고양이라도 들어 있으면 난 바로 짐 싸서 나갈 테니까."

"근데 뭔가 소리가 안 나는데? 벌써 죽은 거 아냐?"

"안 돼! 강아지였으면 분명 움직이거나 긁는 소리가 났을 텐데. 강아지는 아닌가봐."

"너무 긴장된다. 얼른 누가 좀 뜯어봐."

"아, 왜 밀어? 그렇게 궁금하면 네가 뜯어보든가!"

"왜들 다투고 그러니? 난 저녁 준비나 하련다."

"흠, 눈이 따가워서 세수나 해야겠네."

커다란 박스는 우리 가족의 대화를 가만히 듣고 있었다. 얼어붙은 것처럼 그 자리에서 꼼짝도 하지 않은 채.

● 손님 접대

잠시 집을 비웠을 뿐인데 벌써 많은 지인이 대문 앞에 모여 있다. 나는 그들에게 반갑게 인사하며 서둘러 집 안으로 들어선다. 어떻게 열고 들어왔는지 집 안도 지인들로 북적인다. 그들은 삼삼오오 구획을 나누어 모여 있다.

초등학교 때 지인들은 노란 조명이 켜진 내 방에 모여 있다. 그들은 피아노 건반을 누르기도 하고, 큰 인형을 베고 누워 있거나 책장 앞을 서성이며 책을 구경하기도 한다. 서랍 깊숙이에 넣어두었던 연예인 사진을 발견하고는 저희끼리 키득거리기도 한다.

대학 때 지인들은 흰 형광등이 켜진 거실에 흩어져 있다. 그들은 나와 시선이 마주치면 부끄러운 듯 고개를 돌리기도 하고, 누군가와 시끄럽게 통화하기도 하고, 소파에 가만히 앉아 벽에 걸린 그림을 바라보기도 한다. 그들은 서로에게 관심을 두지 않고 상기된 표정과 무기력한 표정을 오가며 거실을 서성인다.

친척들은 붉은 등이 켜진 안방에 모여 있다. 이미 돌아가신 할아버지, 할머니는 아랫목에 누워 친척 어른들이 화투를 치는 모습을 가만히 바라본다. 친척 어른들의 등 뒤에는 빈 술병 몇 개만 놓여 있다. 친척 어른들의 자식들은 자신의 어린 자식들을 품에 안고 달랜다.

회사에서 만난 지인들은 집 안팎을 계속 드나든다. 그들은 대문 앞에 나가 있다가 이 방 저 방을 기웃거리기도 하고 푸른 조명이 있는 부엌에서 찬장을 열어보기도 한다. 그중 한 명이 나에게 다가와 준비해둔 음식이 있냐고 묻는다. 그제야 정신이 든 나는 베란다에 놓인 커다란 냉장고 문을 연다.

푸른 조명이 켜진 냉장고 안에는 남은 배달 음식만 가득하다. 나는 고개를 젓고는 음식들을 헤치고 냉장고 뒤편으로 나가 그다음 냉장고 문을 연다. 크기가 조금 작고 흰 조명이 켜진 냉장고 안에는 술과 마른안주만 가득하다. 나는 고개를 젓고는 음식들을 헤치고 냉장고 뒤편으로 나가 그다음 냉장고 문을 연다. 군데군데 표면이 벗겨지고 노란 조명이 켜진 냉장고 안에는 주스와 과자, 아이스크림만 가득하다. 몇 개를 가지고 갈까 고민하다가 이내 고개를 젓고는 음식들을 헤치고 냉장고 뒤편으로 나간다.

그다음에 놓인 냉장고는 작아도 너무 작고 낡아도 너무 낡아 있다. 붉은 조명이 깜빡이는 그 냉장고 안에는 정성껏 만든 반찬과 김치, 그리고 제사 음식이 가득 담겨 있다. 이것저것 음식을 꺼낸 후 돌아서려는 순간 누군가 냉장고 문을 연다. 신혼 시절 엄마다. 그제야 나는 이 냉장고가 엄마의 첫 냉장고였음을 깨닫는다.

나는 벤치에 앉아 구름 한 점 없는 하늘을 올려다본다. 건물들이
만들어준 그늘 덕분인지 오래 앉아 있어도 덥지 않다. 여기저기 서
있는 나무들이 만들어낸 작은 그늘은 건물 그늘에 폭 파묻힌다.

이 아파트는 아홉 개 동이 둥그렇게 모여 있다. 건물들은 한
나라의 수도를 지키는 높다란 성벽처럼 든든하게 서 있다. 아파트
단지는 세대 수가 많은 편인데도 항상 조용하고 쾌적하다.
그래서일까. 단지 정중앙에 있는 벤치에 앉아 있어도 내 방에서
쉬는 것처럼 아늑하고 편안하다.

한참을 앉아 있어도 오가는 사람이나 자동차가 하나도 없다.
햇살이 강해서 다들 안 나오는 것일까. 핸드폰을 바라보던 나는
자연스럽게 한쪽 다리를 벤치 위로 올리고 머리를 긁적인다. 그때
강렬한 빛이 나를 훑고 지나간다.

나는 고개를 들어 주변을 둘러본다. 3동 4층에 있는 창문 하나가

유독 강하게 빛을 내뿜고 있다. 나는 자리에서 일어나 천천히 그 창문을 향해 다가간다. 창문 너머로 무언가 둥그런 것이 보이다가 사라진다. 다시 벤치로 돌아가려던 순간 1동 5층의 한 창문에서 강한 빛이 뿜어져 나온다. 5동 7층에 있는 한 창문에서도 강한 빛이 뿜어져 나온다. 그 빛들은 차례로 내 온몸을 훑고 지나간다. 그 빛들은 너무 강렬해 건물 그늘이 막아주지 못한다. 나무 그늘은 슬금슬금 뒤로 물러선다.

나는 점점 불안하고 불쾌해진다. 집으로 돌아가기 위해 몇 걸음을 옮긴 순간 아홉 개의 건물이 단지 가운데 방향으로 둥그렇게 휘어진다. 청명한 하늘이 조금씩 가려지더니 금세 단지 내는 깜깜해진다. 강렬한 빛이 뿜어져 나오는 창문 수가 점점 늘어난다. 거의 직각으로 휘어진 각 건물에서 무언가 창문을 뚫고 머리 위로 우수수 떨어진다.

그것은 아직도 불덩이처럼 타오르고 있는 눈알들이다. 나는 순식간에 눈알들 속에 파묻혀 꼼짝도 하지 못한다.

오늘 일어난 사건들

오늘도 달이 밝고 둥글다. 나는 일기를 쓰는 심정으로 달을 계속 바라본다.

달빛 아래로 구불구불한 길이 이어지더니 오늘 일어난 사건들이 하나씩 줄지어 걸어간다. 나와 전혀 상관이 없는, 아주 조금은 관련이 있을지도 모르는, 내 주변에서 일어난 모든 사건들이.

그 사건들의 맨 뒤에는 오늘 산책길에서 만난 할아버지가 있다. 지금까지 몸과 마음에 품어 왔던 모든 기억을 길 위에 줄줄 흘리면서 한참을 제자리에서 미동도 하지 않았던 할아버지.
"도와드릴까요?"라고 말하며 가까이 다가가자, 초점이 없는 눈동자로 허공을 응시하다가 몸을 핵 돌려 골목길로 사라져버린 할아버지.

그 할아버지가 맨 뒤에 서서 오늘 일어난 사건들을 하나씩 정성스레 거둔다. 한 어린이가 엄마 손을 잡고 어린이집에서

하원하다가 크게 짖는 개를 보고 놀란 일을, 한 아주머니가 층간 소음 때문에 윗집을 찾아가 이웃에게 삿대질을 하며 대든 일을, 한 직장인이 급하게 버스를 타려고 뛰다가 발목 부상을 당한 일을, 아빠 회사 동료가 아빠와 마주 앉아 소주를 마시면서 먼저 세상을 떠난 아내를 그리워한 일을, 한 학생이 피곤한 얼굴로 버스에 올라탄 엄마에게 자리를 양보한 일을, 동생 후배가 결혼 생활이 너무 힘들다고 울먹거리며 동생에게 전화한 일을, 길고양이 세 마리가 캣맘 덕분에 식사를 맛있게 한 일을, 길가의 꽃들이 꽃잎 몇 장을 바닥으로 떨군 일을 모두 빠짐없이 자신의 일인 양 품에 거둔다.

할아버지가 사건들을 거두는 모습이 내 눈 속에 담긴다. 갑자기 눈물이 맺히더니 그 장면이 눈물과 함께 바닥으로 뚝뚝 떨어진다. 할아버지가 길 위에 기억을 흘린 것처럼. 나는 얼른 두 손을 모아 눈물을 손안에 받아보려 했지만, 그 장면을 담은 눈물은 바닥에 닿자마자 흔적도 없이 사라져버린다.

구불구불한 길은 어둠에 잠긴다. 나는 눈을 비빈 후 다시 둥그런 달을 바라본다.

●
괘
종
시
계
는

울
리
고

내 방으로 전해진 쪽지 한 장.

**빨간 머리에 눈과 입의 위치가 바뀐 얼굴을 찾으세요. 그래야
당신은 속박에서 벗어날 수 있습니다.**

나는 운동화 끈을 단단히 맨다. 이 감옥 같은 곳에서 하루빨리
벗어나려면 쪽지에 적힌 그 얼굴을 꼭 찾아야 한다. 나는 사방을
정신없이 돌아다니며 사람들의 머리 색을 살핀다. 어렵게 찾은
빨간 머리의 사람은 모두 눈과 입의 위치가 정상이다. 나는 그
얼굴들을 떠나보내며 길게 탄식을 내뱉는다.
시간은 계속 흐른다. 며칠이 지난 것일까. 지금까지 몇 명의
얼굴을 들여다본 것일까. 이제 사람들의 몸과 주변 경치는 시야
바깥으로 사라지고, 오직 사람들의 머리 색과 얼굴만 선명하게 눈에

들어온다. 잠시 눈을 비비고 사방을 둘러봐도 사람들의 얼굴만 허공에 동동 떠 있다.

　너무 지친 나는 무거워진 몸을 이끌고 감옥 같은 방으로 다시 돌아온다. 댕, 댕, 댕. 괘종시계가 울린다. 지금까지 보았던 빨간 머리 얼굴들이 계속 내 주변을 맴돈다. 갸름한, 각진, 새하얀, 가무잡잡한, 여자의, 남자의, 한국인의, 외국인의 그 얼굴들은 계속 내 눈앞에서 흔들린다. 나는 빨갛게 충혈된 눈을 깜박거리다가 졸음을 이기지 못하고 깊은 잠에 빠져든다.

　괘종시계 안에 거꾸로 매달려 있던 빨간 머리의 얼굴이 소리 없이 웃는다. 눈과 입의 위치가 바뀐 그 얼굴. 하지만 거꾸로 매달려 있어 내가 만난 수많은 얼굴처럼 정상으로 보인 얼굴. 빨간 머리카락은 추의 움직임을 따라 좌우로 가볍게 흔들린다.

첫 번째 방. 조심스레 방문을 열어본다.

그의 책상 위에는 많은 책이 퇴적암처럼 굳건하게 쌓여 있다. 더 두꺼워진 안경은 그의 코끝에 간신히 매달려 있다. 그는 매서운 눈빛으로 책상 위에 놓인 백지를 노려본다. 아주 잠깐 백지가 온몸을 부르르 떤다. 그는 굽은 등을 더 동그랗게 말더니 펜을 단단히 쥐고 글을 쓰기 시작한다. 금세 백지에 글자들이 빼곡하게 들어찬다. 그의 짙은 한숨에 글자들이 몸을 들썩이다가 이내 제자리를 찾는다. 그는 펜을 놓고 의자에 몸을 기댄다. 그의 주위를 맴돌던, 결국 백지에는 담기지 못한 수십 개의 글자가 의자 아래로 후드득 떨어진다. 그는 음소거로 켜두었던 텔레비전 모니터로 눈길을 돌린다. 한 배우의 얼굴이 클로즈업되어 잡힌다. 그는 그 배우가 오열하는 모습을 가만히 지켜보다 음소거를 해제한다. 그러고는 그 배우의 다음 대사에 귀를 기울인다.

두 번째 방. 조심스레 방문을 열어본다.

그는 몇 시간째 서서 같은 대사를 연습하고 있다. 그의 얼굴 근육과 눈빛, 손동작과 목소리는 대사를 내뱉을 때마다 미세하게 변화한다. 이마에 맺힌 땀이 지난 촬영 때 다쳤던 상처를 어루만지며 흘러내린다. 그는 거울 속 자신의 모습을 바라보다가 안경을 쓰고 대사를 다시 연습해본다. 그의 긴 한숨과 함께 그의 온몸을 휘돌던 뜨거운 입김이 거울에 닿는다. 거울 표면에 켜켜이 쌓여 있던 대사들이 방바닥으로 주르륵 흘러내린다. 그는 안경을 벗고 다시 한번 대사 연습에 집중해본다. 그제야 그는 의자에 앉아 대본을 펼치고는 지금까지 연습한 대사에 동그라미를 친다. 의자에 몸을 기댄 그는 헤드셋을 착용하고 저장해 두었던 음악을 재생한다. 그러고는 눈을 감고 오래도록 그 곡을 반복해서 듣는다.

세 번째 방. 조심스레 방문을 열어본다.

다소 어두운 푸른색 조명이 빈틈없이 방을 채우고 있다. 그는 어쿠스틱 기타에 손을 가만히 얹고 계속 천장을 바라보고 있다. 그의 단단하지만 가느다란 손가락은 어떤 코드도 짚지 않고 기타 몸통만 가볍게 두드린다. 문득 그는 허밍으로 멜로디를 흥얼거리다가 꽤 빠른 템포로 기타를 연주해본다. 연주는 금방 뚝 그친다. 그는 거칠게 자란 턱수염을 만지작거리다가 어쿠스틱 기타를 내려놓고 일렉 기타를 든다. 강렬한 소리가 푸른색 조명을 밀어내며 금세 방 안에 가득 찬다. 한참을 연주하던 그는 기타를 내려놓고 창문을 연다. 그가 흥얼거리고 연주한 소리는 푸른 숨결이 되어 창밖으로 흩날린다. 그는 의자에 털썩 주저앉아 가사를 끼적거린 종이를 집어든다. 그 종이를 한참 들여다보던 그는 책장에서 책 한 권을 꺼낸다. 그는 물을 벌컥벌컥 마시고는 여기저기 밑줄을 쳐놓은 그 책을 처음부터 다시 읽기 시작한다.

　나의 방. 조심스레 방문을 열고 들어간다.
　그의 문장들과 그의 대사들과 그의 소리들로 가득한 내 방. 나는 오늘도 그의 책을 읽고, 그의 연기를 보고, 그의 음악을 들으며 그들의 방에 다시 방문할 날을 기다린다.

"왜 여길 다시 오고 싶었어?"

"예전에 왔을 때는 마감 시간이 임박해서 제일 안쪽까지 못 들어갔었잖아. 거기까지 꼭 들어가보고 싶었거든."

"제일 안쪽에 뭐가 있는데?"

"글쎄. 뭐가 있는지는 잘 모르겠어. 아무것도 없을 수도 있지."

"그 이유가 아니더라도 이곳에 두 번이나 온 여행객은 우리밖에 없지 않을까?"

"하긴. 이렇게 외진 곳에 덩그러니 있는 건물에 누가 오고 싶어 하겠어."

"그때보다 바닥이 더 삐거덕거리는 거 같다. 근데 나무 벽이 이렇게 붉은색이었나?"

"그러게. 온통 황토색이었던 걸로 기억하는데. 칠을 다시 했나봐."

"여긴 여전히 미로처럼 복잡하구나. 예전에 뭘로 사용했던 건물이라 했지?"

"천주교 박해가 일어나기 전에 천주교도들이 몰래 모여서
기도드리던 곳이었대. 건물 외관이 특이해서 예전에는 멀리서도
꽤 왔다던데 지금은 신자들도 잘 안 오나봐."

"주말인데도 우리밖에 없다니. 예전에 여기까지 들어왔던 거 같다.
맞지?"

"응, 조금만 더 안으로 들어가보자."

건물 제일 안쪽은 정원처럼 가꾸어져 있었다. 연못 한가운데에는
건물 전체로 수많은 가지를 늘어뜨린 커다란 나무 한 그루가 있었다.
연못 위에는 나무 의자 하나가 떠 있었다. 그 나무 의자에는 머리에
상투를 틀고 흰옷을 입은 한 남자가 앉아 있었다. 남자의 두 손은
의자에 단단히 묶여 있었다.

우리가 가까이 다가가자 갑자기 나무 의자가 물 위에서 뱅그르르
돌기 시작했다. 남자의 몸에 난 상처가 벌어지더니 연못으로 피가
뚝뚝 떨어졌다. 남자의 표정은 점점 일그러졌고 연못은 금세 새빨간
피로 물들었다.

잠시 후 커다란 나무의 가지 끝에서 피가 한 방울씩 떨어졌다. 그
피는 건물의 지붕과 벽을 타고 천천히 흘러내렸다.

● 떠나야 할 시간

이제 이곳을 떠나야 한다. 이곳에 머무른 지는 1년 정도 된 듯하다. 어떻게 이곳을 알게 되었는지, 어쩌다 이곳까지 오게 되었는지는 전혀 기억나지 않는다. 운명처럼 거역할 수 없는 자연스러운 흐름에 떠밀려 온 것 같기도 하다. 잠시나마 이곳에서 나와 함께 머물렀던 사람들의 얼굴이 빠르게 스쳐 지나간다. 그들이 남겨두고 간 냄새와 흔적, 물건들과 함께 내 물건들도 하나씩 배낭에 넣을 시간이다.

이곳은 1년 내내 밤이었다. 커튼을 열어젖혀도 창밖 풍경은 항상 어둠에 짓눌려 보이지 않았다. 그나마 선명하게 보인 것은 창 근처에 높이 솟은 가로등뿐이었다. 이 가로등 불빛은 1년 내내 꺼진 적이 없었다. 현관문 너머도 마찬가지였다. 항상 적막과 어둠에 둘러싸여 있던 복도에는 작은 불빛도, 그 누구의 인기척도 없었다.

나는 살짝 먼지가 내려앉은 배낭을 꺼낸다. 우선 내 옷가지부터 배낭에 넣는다. 주변을 둘러본다. 여러 물건이 눈에 띄었지만 무엇이 내 것인지 구분이 잘 되지 않는다. 뚫어지게 바라보다가 손으로 만져봐도 이곳에 원래 있었던 물건처럼 느껴진다. 심지어 책상 서랍 안에 넣어둔 지폐들도 내 것이 아닌 것처럼 낯설게 보인다.

그때 가로등 불이 갑자기 꺼진다. 창밖을 내다보니 이곳에 온 후 한 번도 보지 못했던 여명이 하늘 전체를 뒤덮고 있다. 나는 마음이 조급해진다. 낯선 사람이 불쑥 현관문을 열고 들어와 이곳의 모든 냄새와 흔적과 물건이 자신의 것이라고 우길 것만 같다. 나는 손에 집히는 물건들을 대충 배낭에 쑤셔 넣는다.

나는 그렇게 밤을 등지고 아침을 향해 떠난다.

● 해변을 걷다

해변을 걷는다. 고운 모래 위로 크기가 각각 다른 내 발자국이 찍힌다.

저 멀리에 찍힌 가장 작고 귀여운 발자국은 소라고둥이 꿀꺽 삼켜버린다. 신나게 뛰어서 여기저기 산만하게 찍힌 발자국은 불가사리와 함께 춤춘다. 애인의 발자국 옆에 나란히 찍힌 발자국은 누군가 버리고 간 끈에 묶여 버둥거린다. 오른쪽 다리에 깁스를 해 목발 자국이 찍힌 곳에는 갈매기가 물어온 다른 발자국이 살포시 놓인다. 온몸에 슬픔과 분노가 가득 차 더 깊이 찍힌 발자국은 더러워진 부표와 함께 모래 위를 뒹굴며 밤마다 서럽게 운다. 아빠, 엄마, 나, 동생의 웃음이 배어 있는 발자국은 파도가 가만히 쓰다듬다가 거두어간다.

나는 내 발자국들이 어떻게 되는지도 모르고, 여전히 앞만 보며 계속 걷는다.

4부

까마득하게 먼 저 어딘가

검은 파도 속에서

검은 파도가 끊임없이 밀려왔다. 우리가 탄 배는 크게 흔들렸다. 나는 배의 나무 기둥을 꽉 붙잡았다. 우지끈. 반대편 나무 기둥이 부러졌다. 이미 축축해져 버린 나무 기둥들은 점점 검게 물들었다. 그렇게 나무들은 썩어갔다.

사납게 날뛰던 파도가 잠시 가라앉았다. 사실 나는 파도보다 바다 위 여기저기에 떠 있는 저 생명체들이 더 두려웠다. 그것들은 까마귀도 아니고 백로도 아니고 가마우지도 아니었지만 새와 비슷했다. 몸집이 너무 커서 목이 긴 공룡처럼 보이기도 했다. 몸의 절반은 검은색이었고, 나머지 절반은 흰색이었다. 그것들은 날카로운 부리와 커다란 날개로 금방이라도 우리를 공격할 것처럼 보였다.

하지만 그 생명체들은 작은 섬처럼 바다 위에 고요히 떠 있을 뿐이었다. 가끔 파도가 세게 밀려와도 그것들은 쉽사리 날개를 펴지 않았다. 그때 무리 중 한 마리가 큰 날개를 펴고 하늘로 날아갔다. 그것은 온몸이 까마귀처럼 검었다. 나머지는 부리를 치켜들고 날아가는 그것을 바라보며 낮게 울었다. 그 생명체들은 그런 방식으로 이곳을 떠나는 한 마리를 애도했다.

우리는 그 모습을 가만히 바라보았다. 바다는 아까보다 더 검은빛을 띠었다. 우리가 탄 배는 누군가가 바다에 버린 쓰레기처럼 둥둥 떠 있을 뿐이었다.

적막과 어둠의 도시

　서울에서 그리 멀지 않은 도시. 이 도시는 온종일 많은 습기와
희미한 어둠으로 둘러싸여 있었다. 무엇보다 이 도시 사람들은 말이
없었다. 무언가를 물어도 손짓이나 몸짓, 또는 눈빛으로 응대하던
사람들. 그들의 입은 일회용보다 훨씬 두꺼워 보이는 마스크가
뒤덮고 있었다. K와 나도 얼른 두툼한 마스크를 구입해 착용했다.
그러고는 야간열차에 올라탔다.

　열차 안은 승객들로 가득했다. 열차 조명이 그나마 승객들의
윤곽을 뚜렷하게 보여줄 뿐, 이곳 역시 무거운 침묵이 흐르고
있었다. K와 나는 4인 좌석에 마주 보고 앉았다. 우리 옆에는
아버지로 보이는 중년 남자와 아들로 보이는 소년이 앉아 있었다.
열차는 곧 출발하고 나와 K는 나지막한 목소리로 대화를 나누었다.
마스크가 두꺼워서인지 말이 입 밖으로 나가지 못하고 다시
입안으로 튕겨 들어오는 느낌이 들었다. 이내 K와 나도 침묵을

지켰다.

그때 무언가 바스락바스락하더니 끙끙거리는 소리가 들렸다. 중년 남자가 의자 아래에 웅크리고 있던 개 한 마리를 살짝 들어 올렸다. 이어 그 어미 개가 방금 낳은 강아지가 보였다. 나와 K는 동시에 탄성을 질렀다. 남자는 강아지를 얼굴 높이까지 들어 올리더니 자신의 마스크를 턱밑으로 내렸다. 그러고는 입을 크게 벌렸다. 너무 놀란 나는 자리에서 벌떡 일어나 남자의 팔을 붙잡았다. 그러자 내 옆에 앉아 있던 소년이 맑은 눈으로 나를 바라보며 괜찮다는 눈빛을 보냈다. K는 나의 손을 잡고 가볍게 토닥인 후 남자의 행동을 날카롭게 주시했다.

나는 분명히 보았다. 남자의 입안에는 이도 없고 혀도 없고 목구멍도 없었다. 끝이 보이지 않는 긴 터널처럼 짙은 어둠으로 가득 찬 그 공간은 열차의 끝 칸, 아니 선로의 맨 끝, 아니 이 도시의 경계, 아니 어쩌면 그의 뿌리가 박혀 있는 고향 어딘가까지 쭉 이어져 있는 것 같았다. 남자는 강아지를 다시 조심스레 들어 올려 그 어둡고도 안전한 공간 어딘가에 살짝 놓았다. 어미 개는 자신의 새끼를 물끄러미 바라보더니 다시 편안한 자세로 웅크렸다. 소년은 아버지의 입안에 자리한 강아지를 이리저리 살피더니 고개를 끄덕였다. 그제야 남자는 입을 다물고 다시 두꺼운 마스크로 입을 가렸다.

어미 개와 소년은 조용히 잠들었고, 나와 K는 적막과 어둠의 도시에 서서히 젖어 들었다.

부스럭거리는 소리에 놀라 눈을 뜬다. 잠들기 전 내 방 모습 그대로다. 다만 커튼이 활짝 열려 있다. 짙푸른 색이었던 커튼이 언제 이렇게 붉게 물들었을까. 안개 같은 빛이 서서히 방 안으로 스며든다. 나는 커튼을 닫기 위해 몸을 일으킨다.

등받이 쿠션이 놓여 있는 곳에 한 여학생이 앉아 있다. 여학생은 고개를 푹 수그린 채 눈물을 뚝뚝 흘린다. 내가 그 자리에서 그랬던 것처럼 여학생은 눈물을 닦을 생각도 안 하고 소리도 내지 않은 채 한참을 운다.

노트북이 놓인 테이블 앞에는 한 젊은 여자가 앉아 있다. 여자는 갓난아이에게 젖을 물리고 있다. 내가 일하다가 가끔씩 창문 너머로 귀퉁이가 잘린 하늘을 바라보듯이 여자 또한 잘린 하늘을 한참 바라본다.

요가 매트를 깔아둔 자리에는 한 할머니가 앉아 있다. 허리가 굽은 할머니는 마치 TV를 보듯이 흰 벽을 응시하고 있다. 벽을 통해 건강미를 자랑하는 젊은 여자들이 나타났다가 사라진다.

빛은 조금 더 강하게 방 안을 휘돌더니 세 여자를 거두어간다. 그들이 앉았던 자리에는 새로운 얼룩이 생긴다. 나는 자리에서 일어나 붉은 커튼을 닫는다. 고요와 어둠이 커튼을 다시 푸른색으로 물들인다.

이제 방 안은 온전히 나만의 공간이 된다. 나는 자리에 누워 눈을 감는다.

●
B
O
X

1

짙푸른 들판 너머로 웅장한 성이 높게 솟아 있다. 성은 안개로
뒤덮여 더욱 과거처럼 보인다. 나는 자꾸 발걸음을 잡아채는
잡풀들을 밟으며 성을 향해 나아간다. 저 성에 누가 살고 있는지
가봐야겠어. 그때 오른쪽 방향에서 쿰쿰한 냄새와 함께 와자지껄
시끄러운 소리가 들린다. 나는 고개를 돌린다.

2

비좁은 골목 사이에 웅크리고 있는 한 음식점이 보인다. 몇 년
전에 여행했던 마카오의 음식점인 듯하다. 몇몇 사람이 음식점
안에서 언성을 높이며 싸우고 있다. 나는 자꾸 발에 걸리는 전단지를
걷어차며 음식점 근처로 다가간다. 그때 누군가가 던진 유리병이
날아온다. 나는 눈을 꾹 감고 뒤로 돌아 무작정 달리기 시작한다.

3

조심스레 눈을 뜬다. 사방이 고요하다. 내 바로 옆으로 한 점
구름이 무심히 흘러간다. 지상이 보이지 않는 높은 곳. 나는 두
다리를 뻗을 수도 없는 좁은 돌 위에 앉아 있다. 저 멀리 가족들이
보인다. 가족들 역시 금방이라도 무너져 내릴 듯이 가느다랗고 좁은
돌 절벽 위에 각각 앉아 있다. 우리는 이곳에서 언제까지 무엇을
감내해야만 할까. 그때 갑자기 돌이 흔들리기 시작한다. 나는
발아래를 내려다본다.

4

"이건 전 세계에서 아주 소량으로 발견된 거래. 서울시에서 어렵게
매입해서 이렇게 보관해놓은 거지."
과학 교사인 친구가 감격스러운 말투로 설명한다. 내 발아래로
반짝거리는 유리와 그 안에 보관된 돌 하나가 보인다. 시민들이
오가는 보도블록까지 걷어내고 널따랗게 자리를 차지한 돌덩어리.
갑자기 두 발이 무언가에 눌린 듯 쉬이 움직여지지 않는다.

5

오랜 잠에서 깨어난 듯하다. 기지개를 켜다 손끝에 무언가 단단한
것이 닿는다. 정신이 든 나는 정면을 바라본다. 안개에 싸인 성이
보인다. 오른쪽을 바라본다. 마카오의 한 음식점이 보인다. 뒤를
돌아본다. 높고 좁다란 돌 위에 앉아 있는 가족들이 보인다. 위를
쳐다본다. 나를 바라보는 또 다른 나와 친구의 얼굴이 보인다. 나는

어디에 갇혀 있는 거지?

대면하다

지하철 플랫폼에 선다. 스크린도어는 고급 상점의 쇼윈도보다 더 깨끗하고 투명하게 빛난다. 스크린도어를 통해 내 모습이 비친다. 해사한 청춘을 머금고 있는 그 모습은 스크린도어 못지않게 환하게 빛난다.

끼익. 갑자기 스크린도어가 방문처럼 살짝 열린다. 자세히 보니 손잡이도 달려 있다. 나는 가까이 다가가 손잡이를 잡고 문을 활짝 연다. 스크린도어 너머를 잠식하고 있던 어둠과 매캐한 공기가 문밖으로 확 밀려 나온다.

선로를 바라보던 나는 너무 놀라 뒷걸음질친다. 머리가 희끗희끗한 중년 여성이 선로 위에 누워 있다. 군데군데 찢어진 옷을 입은 그 여성은 온몸이 야위어 보인다. 그럼에도 두 눈에서 나오는 광채는 어둠 속에서도 분명하게 빛난다.

순간 그 여성과 눈이 정면으로 마주친다. 알림음도 없이 도착한 지하철이 멈추지 않고 쏜살같이 지나간다. 내 치마가 요란하게 펄럭인다. 새로 산 구두 위로 먼지 더미와 어둠이 내려앉는다. 사방이 조용해진다.

그 여성은 어디로 갔을까. 선로 위에는 그 여성의 오른손만 놓여 있다. 펜을 꽉 쥔 그 손은 먼지처럼 둥둥 떠다니면서 스크린도어와 벽면 여기저기에 무언가를 끊임없이 적는다. 아무도 쳐다보지 않는 문장들을 아주 정성껏, 느리게.

● 애도

또각또각. 내 발소리만 눈에 보일 듯 분명하다. 그 외 주변의 모든 것은 짙은 안개에 묻혀 불분명하다. 그럼에도 나는 일정한 보폭을 유지하며 같은 무늬가 반복되는 보도블록만 뚫어지게 바라보며 걷는다. 잠시 안개가 걷힌 틈을 타 주변을 둘러본다. 차도에는 많은 차가 꼬리에 꼬리를 물며 조용히 서 있다. 차들은 마치 안개를 빨아들여 녹진해진 것처럼 느리고 무겁게 움직인다.

빗방울이 떨어지기 시작한다. 그제야 하늘을 쳐다보니 먹구름 하나가 떠 있다. 그 먹구름은 서서히 주변 구름들까지 검게 물들인다. 나의 미간에 주름이 잡힌다. 덩치가 커진 먹구름은 점점 색이 짙어지더니 기다랗고 각진 돌로 변한다. 그것은 굉장히 빠른 속도로 지상으로 떨어지면서 같은 크기와 무늬로 산산조각 난다. 수많은 돌 파편은 차도를 꽉 채우고 있던 차들을 지하 깊숙한 곳까지 내리꽂고는 그 위에 비석처럼 박힌다.

비가 그치고 서서히 안개가 걷힌다. 더 이상 내 앞에는 보도블록이 깔려 있지 않다. 나는 구두를 벗고 조심스럽게 차도로 내려선다. 모든 비석마다 차 번호 같은 숫자와 기도문이 새겨져 있다. 나는 너무나 또렷하게 새겨진 그 글자들을 하나씩 들여다보며 발소리 없이 걷는다. 걸어도 걸어도 비석은 줄어들 기미가 보이지 않는다.

발밑이 까마득하다. 내려가도 내려가도 온통 철로 뒤덮인 이곳에서 느껴지는 건 섬뜩함뿐이다. 얼른 흙과 사람들의 온기가 있는 지상에 발을 디뎌야 한다.

심장만이 피부를 뚫고 나올 것처럼 뜨겁게 요동친다. 한눈에 봐도 내려가기 어렵게 생긴 구조물 때문이다. 구조물은 어릴 때 놀이터에서 자주 올랐던 정글짐처럼 보인다. 그 아래로도 거미줄처럼 마구 얽힌 철제 구조물들이 끊임없이 이어져 있다.

나는 심호흡을 한 후 조심스럽게 철제 구조물 사이를 통과한다. 주변에서는 고층 건물 공사가 한창이다. 가끔 쿵쿵거리는 소음이 내 몸을 휘청이게 한다. 시야는 자꾸 흐려지고 손끝에 닿는 차가운 느낌만 지속된다.

어느덧 발밑으로 지상이 보인다. 평소에는 눈길 한번 주지 않았던 전봇대 꼭대기가 이렇게 반가울 줄이야. 나는 구조물 제일 아래인

평평한 곳에 도착한다. 그곳에서 지상까지는 잘 꼬아진 밧줄이 쭉 이어져 있다. 밧줄 끝은 한 초가집 언저리까지 닿아 있는 듯하다. 고층 건물 사이에 자리 잡은 초가집이 낯설면서도 안전하고 포근하게 보인다. 이제 이 밧줄만 잡고 잘 내려가면 그토록 원했던 지상에 발을 디딜 수 있다.

나는 밧줄을 잡고 발을 떼고 나서야 깨닫는다. 이 밧줄이 초가집 언저리에 고정된 것이 아니라 어딘지 모를 지하, 어쩌면 내가 내려온 거리보다 더 까마득하게 먼 어딘가까지 이어졌다는 사실을.

오늘의 운세

집 근처 거리로 나섰다. 어제는 보이지 않던 새로운 기계가 놓여 있었다. 이 기계는 중년 여성의 흉상 모양이었다. 계속 보고 있자니 불상 같기도 하고, 성모 마리아상처럼 느껴지기도 했다.

이른 시간인데도 꽤 많은 사람이 이 기계 앞에 줄 서 있었다. 한 여인은 아이의 작은 손을 꽉 잡고 눈을 감은 채 기도문을 외웠다. 한 남자는 자기 차례가 빨리 돌아오지 않아서인지 계속 투덜거렸다.

언제부터였을까. 오늘의 운세를 알려주는 기계가 우후죽순처럼 늘어나기 시작했다. 이 기계는 전부 사람의 흉상 모양으로 만들어졌다. 어떤 기계가 어떤 방식으로 오늘 하루의 운세를 알려주는지는 알 수 없었다. 사람들은 이 정보에 관해서만은 굳게 침묵을 지켰다. 마치 타인에게 말해버리면 자신의 모든 운이 다 빠져나가기라도 하는 것처럼.

나는 줄 맨 끝에 서서 자신의 운세를 확인하고 나온 사람들의 얼굴을 살펴보았다. 각자의 표정과 몸짓으로 생동감 있게 움직이던 사람들은 무표정한 얼굴로 조용히 나왔다. 오늘의 운이 무척 좋은 사람도, 오늘의 운이 무척 나쁜 사람도.

기계 근처에 도착한 나는 사방을 둘러보았다. 유독 인상적이었던 여인. 아이의 손을 잡고 간절하게 기도하던 여인. 그 여인과 아이의 표정을 살피지 못한 것 같아서였다.

하지만 그 여인과 아이는 보이지 않았고, 길 건너편에 새로 놓인 기계가 눈에 들어왔다. 그 기계는 아이를 안고 있는 여인의 흉상 모양이었다.

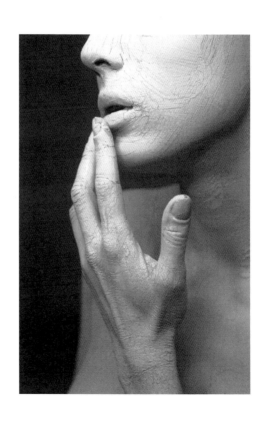

● 얼굴 가죽

"내가 건강한 운동선수였을 때, 20대였던 그때의 심장이라오."

눈앞으로 유리병 안에 담긴 심장이 불쑥 다가온다. 강하게 펄떡거리는 그 심장은 당장이라도 유리병을 뚫고 튀어나올 것처럼 보인다. 나는 살짝 뒤로 물러서며 고개를 젓는다. 그러고는 나에게 필요한 것은 심장이 아니라 다리뼈라는 것을 알리기 위해 내 오른쪽 다리를 가리킨다. 그는 부스스한 흰머리를 긁다가 유리병을 다시 가판대에 놓는다.

시장 곳곳에는 각종 장기가 빽빽하게 진열되어 있다. 상인들은 한때 몸속에 소중히 품었던 장기를 홍보하느라 바쁘다. 인공 장기가 보편화되어 이제는 가계에 약간의 보탬이 되는 상품으로 전락해버린 흐물흐물한 장기들. 하지만 손님은 많지 않다. 나는 언제까지 인공 장기를 거부하고 이렇게 다른 사람의 것을 찾아 헤매게 될까. 아무리 둘러봐도 내가 찾는 다리뼈는 보이지 않는다.

그때 한 가판대가 눈길을 끈다. 기다란 가판대에는 얇게 벗겨낸 여러 개의 얼굴 가죽이 놓여 있다. 한눈에 봐도 주인 할머니 한 사람의 것이다. 어릴 때부터 나이가 든 현재까지 한 사람의 인생을 보여주는 얼굴 가죽들은 그 시절만의 표정을 담고 있다.

  "할머니, 이때 가장 행복하셨나봐요."

  나는 내 나이쯤 되어 보이는 얼굴 가죽을 가리키며 말한다. 두꺼운 천으로 얼굴 전체를 감싼 채 눈만 간신히 내놓고 있던 할머니는 고개를 끄덕인다. 그러고는 눈으로 웃는다.

  나는 그 얼굴 가죽에서 눈을 떼지 못한다. 온화하면서도 단단해 보이는 인상. 적당한 위치에 보기 좋게 생긴 주름. 누가 봐도 같이 웃음 짓게 되는 자연스러운 미소. 어렸을 때부터 꼭 가지고 싶었던 얼굴이다. 나는 어느새 다리뼈는 잊어버리고 그 얼굴 가죽만 구입한 후 고이 품에 안고 집으로 향한다.

●
피
라
미
드

"그래, 맞아. 자네는 어릴 적부터 사람 만나는 걸 좋아하고 여행
다니는 것도 즐겨서 여기저기 발자국을 많이 찍고 다녔지. 그
성향이나 습관은 나이 들어서도 여전했어. 무릎이 아프다고
그러면서도 부지런히 다니더니만 그게 다 이러려고 그랬던 것 같네.
소박하고 강직했던 자네야 이런 대우가 부담스러울 수도 있겠지만,
가족들이 자랑스럽게 생각하고 있는 거 같으니 자네도 기뻐하겠지.
사실 따지고 보면 자네는 대단한 일을 꾸준히 실천한 거야. 인간의
두 다리는 점점 퇴보하고 있지 않았나. 환경 오염이 심해지고 사람들
간의 불신도 커지면서 점점 사람들은 집 밖으로 나서지 않게 되었지.
이렇게 다들 은둔형 외톨이로 살아가게 되리라고 예측이나 했었나.
나도 언제 문밖으로 나갔었는지 기억이 나질 않는다네. 그런
와중에도 자네는 지인들의 안부를 진심으로 궁금해하며 이 집 저 집
다니기 바빴지. 지금에서야 솔직한 심정을 말하네만, 나는 자네의

방문이 고마우면서도 부담스럽기도 했다네. 이 사회 전체에
무기력이 전염병처럼 퍼져 있었고, 나 역시 그것에서 빠져나오지
못해 버둥대고 있었으니까. 그래서인지 젊은 시절처럼 활발히
움직이는 자네가 때로는 다른 종족처럼 느껴지기도 했다네. 차마 이
얘기는 자네 면전에서 꺼낼 순 없었지만……. 여하튼 새로운 정부는
온갖 정책을 내세우며 국민들을 설득하려 한다네. 하지만 그다지
눈에 띄는 성과를 보이는 건 없어. 새로운 무덤법도 자네 무덤을
제1호로 지정한 이후 그 혜택에 대해 하루가 멀다 하고 떠들어대고
있지만……. 글쎄, 사람들이 이 정책 하나만 믿고 집 밖으로 일부러
나갈 것인지는 미지수네. 하여간 자네는 무덤에 들어가기 전,
우리나라에서 아니 전 세계에서 가장 이 땅에 발자국을 많이 남긴
사람일 걸세. 그 공으로 예전 왕들이나 누렸을 호사로운 곳에 누워
있으니 기분이 어떤가? 자네가 살아생전 꾹꾹 밟고 다닌 만큼, 딱
그만큼 높게 부풀어 올랐구먼.”

　머리가 허옇게 센 나는 뉴스 영상을 통해 피라미드처럼 우뚝 솟은
오랜 친구의 무덤을 한참 바라보았다. 뉴스 영상이 다른 화제로
바뀌자 나는 가벼운 한숨을 내쉬며 텔레비전을 껐다. 그러고는 창문
쪽을 바라보다가 이내 창문을 등지고 누워버렸다.

● 환생

그토록 바라던 환생을 했다. 환생이라니!

그런데 인간은 아닌 듯하다. 분명 눈을 뜬 것 같은데 눈동자를 굴릴 수가 없다. 고개를 돌릴 수도 없다. 그러니 내가 무엇으로 환생했는지 내 몸뚱어리를 내려다볼 수도 없다. 곧게 자란 나무들과 숲속 풍경만 보일 뿐이다.

숲속이니 한 그루의 나무로 환생한 건가. 그래, 나는 나무로 환생하기를 바라기도 했었지. 하지만 나뭇가지 끝에 스치는 바람이나 따스한 햇살이 전혀 느껴지지 않는다. 그렇다면 땅속 깊숙이 박힌 바위로 환생한 건가. 바위에 대한 동경은 항상 있었지만 이런 고차원의 의식이 있으리라고는 믿어지지 않는다.

나는 환생했다는 사실만 굳게 믿어보기로 한다. 눈앞에 박제된 듯한 풍경은 내 숙명처럼 느껴진다. 하나의 작품처럼 보이는 이 풍경도 조금씩 변하겠지. 그러면서 나에게 메시지를 주겠지.

나는 숲속 풍경을 눈 깊숙이에 담고는 그 자리에서 하나의 '생'을 꾸려보기로 한다. 그저 묵묵히.

이미지 출처

1부

*동그란 강*_©Life Of Pix, https://www.pexels.com/ko-kr/photo/
9786/
*동네 구경*_©taylor_hun, https://www.freeimages.com/kr/photo/
antique-swing-1625085
*아빠의 선물*_©Raphael Brasileiro, https://www.pexels.com/ko-kr/
photo/1686944/
*고급 레스토랑*_©Johannes Plenio, https://www.pexels.com/ko-kr/
photo/1114883/
*도망치다*_©Mikita Yo, https://unsplash.com/ko/%EC%82%AC%EC
%A7%84/TcFEeMQTAKk

2부

*외로운 경계인*_©Henry & Co., https://www.pexels.com/ko-kr/
photo/1793525/
*첫 수업*_©Victoria_Watercolor, https://pixabay.com/ko/photos/
%ec%b6%9c%ed%98%84-%eb%88%88-%ec%86%8c%eb%85%84-
%ea%b2%80%ec%a0%95%ec%83%89%ea%b3%bc-%ed%9d%b0%
ec%83%89-6599121/
*약국*_©Aleksandr Burzinskij, https://www.pexels.com/ko-kr/
photo/4987403/
*빛이 있는 공간*_작가 미상, https://www.freeimages.com/kr/photo/
swirling-smoke-1641747

3부

*메시지*_©Raphael Brasileiro, https://www.pexels.com/ko-kr/
photo/2166149/

그들의 발_©Khoa Võ, https://www.pexels.com/ko-kr/photo/6533951/
전도_©mono-log, https://unsplash.com/ko/%EC%82%AC%EC%A7%84/weG4VlErPaQ
노란색 리본_©Julia Kadel, https://unsplash.com/ko/%EC%82%AC%EC%A7%84/uqW3kjz_Q0E
어떤 습격_©miro polca, https://unsplash.com/ko/%EC%82%AC%EC%A7%84/rgeEYlm5mOI
오늘 일어난 사건들_©Guillaume Meurice, https://www.pexels.com/ko-kr/photo/2280604/
방문_©Skylar Kang, https://www.pexels.com/ko-kr/photo/6045021/
해변을 걷다_©Aistė Sveikataitė, https://www.pexels.com/ko-kr/photo/1535402/

4부
세 여자_©Heloisa Vecchio, https://www.pexels.com/ko-kr/photo/6999527/
대면하다_©Anthony DeRosa, https://www.pexels.com/ko-kr/photo/211816/
오늘의 운세_©Kristina Nor, https://www.pexels.com/ko-kr/photo/3219601/
피라미드_©Dani Dhafa, https://www.pexels.com/ko-kr/photo/1784914/
환생_©Darkmoon_Art, https://pixabay.com/ko/photos/%ec%88%b2-%ed%99%a9%ec%95%bc-%ea%b3%b5%ec%83%81-%eb%82%98%eb%ac%b4-%ec%8b%a0%eb%b9%84%ed%95%9c-3877365/

간밤의 꿈 이야기

초판 1쇄 발행 2023년 10월 20일

지은이 | 안주영
펴낸이 | 이근일
펴낸곳 | 기린과숲

등록번호 | 128-94-16449
주소 | 경기도 고양시 덕양구 화중로 126 205호
이메일 | kirin2013@naver.com
블로그 | https://blog.naver.com/kirin2013
인스타그램 | @kirinsoop

ISBN 979-11-87178-23-1 (03810)